Fit für Windows Vista

RATGEBER

Gut leben in den besten Jahren

York S. Szantyr

Fit für WINDOWS VISTA

OTUS

Lieferbare Titel aus dem Otus Verlag: **www.otus.ch**

Herstellung und Organisation: Dr. Christian Zentner, München
Autor: York S. Szantyr
Umschlaggestaltung: Simone Halfar
Layout: PHOENIX publishing services GmbH

ISBN 978-3-907200-48-3

Vorwort

Wie kann es eigentlich sein, dass Kinder den Umgang mit Computern „erspielen“ können und dagegen viele Erwachsene Probleme haben, den richtigen Einstieg in das Thema zu finden?

Zum einen liegt es wohl daran, dass den meisten Späteinsteigern die zugrunde liegenden Ideen und Bedienkonzepte moderner Betriebssysteme wie Windows Vista nie im Zusammenhang erklärt wurden. Zum anderen hilft Kindern sicherlich gerade das typisch Kindliche: Erwachsenen fehlt oft das Vertrauen, ohne allzu großes Nachdenken und ohne Angst vor Fehlern an Neues heranzugehen.

Diese Hindernisse im Umgang mit Computern Schritt für Schritt abzubauen und Ihnen Windows Vista und seine faszinierenden Anwendungen näherzubringen, ist Ziel des vorliegenden Buchs. Es soll eine kompakte und leicht verständliche Anleitung zu den für Sie relevanten Themen sein, eine Erklärung der zugrunde liegenden Denkweise und eine Ermunterung, die neuen und spannenden Möglichkeiten zu entdecken, die der Computer und Windows Vista Ihnen zu bieten haben, sobald Sie sich darauf einlassen.

Wenn dieses Buch Ihnen den Kontakt mit Windows Vista erleichtern und als fundierter Ratgeber dienen kann, so würde es mich sehr freuen.

York S. Szantyr

Vorwort 5

1 Allgemeine Grundlagen 9
1.1 Übersicht der Kapitel 9
1.2 Aufbau und Funktion Ihres Computers 10
1.3 Varianten von Windows Vista und Installation 13
1.4 Grundlagen der Bedienung 15
1.4.1 Maus 15
1.4.2 Mauszeiger 17
1.4.3 Tastatur 19
1.5 Starten und Beenden von Windows 21

2 Elemente der Benutzeroberfläche 27
2.1 Desktop 27
2.2 Startleiste 29
2.3 Startmenü 33
2.4. Fenster 38
2.5 Windows-Steuerelemente 43
2.6 Windows Vista Hilfe 46

3 Dateien, Ordner und der Windows Explorer 49
3.1 Dateien 49
3.2 Ordner 52
3.3 Laufwerke 55
3.4 Windows Explorer 57
3.4.1 Windows-Explorer-Fenster 57
3.4.2 Funktionen für Dateien und Ordner 65

4. Die Systemsteuerung 71
4.1 Aufruf der Systemsteuerung 71
4.2. Anpassung der Benutzeroberfläche 73
4.2.1 Desktophintergrund 74
4.2.2. Mauszeiger 77
4.2.3 Fensterfarbe 79

4.2.4 Design 80
4.2.5 Schriftgrad anpassen (DPI) 81
4.2.6 Erleichterte Bedienung 82
4.3 Datum und Uhrzeit 83
4.4 Benutzerkonten 85
4.5 Programme entfernen 88
4.6 Drucker 89

5 Die Programme von Vista 91
5.1 Windows-Fotogalerie 91
5.1.1 Eigene Fotos hinzufügen 92
5.1.2 Fernbedienungsleiste und Diashow 93
5.1.3 Fotos drucken, verschicken und brennen 96
5.1.4 Fotoauswahl und Fotobenennung 100
5.1.5 Fotos bearbeiten 101
5.2 Rechner 103
5.3 Windows-Kalender 105
5.3.1 Neuen Termin oder Aufgabe anlegen 106
5.3.2 Wichtige Einstellungen 107
5.3.3 Termine suchen und drucken 109
5.4 WordPad 111
5.4.1 Datei- und Bearbeitungsfunktionen 112
5.4.2 Formatierungen 114
5.5 Windows Media Player 117
5.5.1 Bedienelemente 118
5.5.2 Medienverwaltung und -import 120
5.5.3 Wiedergabelisten 124
5.5.4 Audio-CDs brennen 126
5.6 Windows-Sidebar 127

6 Online-Grundlagen 133
6.1 Sicherheit 133
6.1.1 Das Windows-Sicherheitscenter 133
6.1.2 Die Windows-Firewall 134

6.1.3 Der Windows-Defender 134
6.1.4 Das Windows Update 135
6.1.5 Virenschutz 136
6.2 Erste Schritte 142
6.2.1 Browser 142
6.2.2 Internetadressen 143
6.2.3 Browserfunktionen 144

7 E-Mail: Die elektronische Post 153
7.1 E-Mail-Adresse einrichten 153
7.1.1 E-Mail-Adresse bei web.de einrichten 154
7.2 Ein E-Mail-Programm nutzen 156
7.2.1 Windows Mail einrichten 157
7.2.2 Eine E-Mail schreiben und senden 161
7.2.3 E-Mails empfangen, beantworten, weiterleiten, löschen 162
7.2.4 Eine Datei mitschicken: Der E-Mail-Anhang 166
7.2.5 Das Adressbuch (Windows-Kontakte) 169
7.2.6 Weitere Extras: Rechtschreibung, Suche, Priorität 171

Glossar 173

Index 189

1 Allgemeine Grundlagen

1.1 Übersicht der Kapitel

Dieses Buch möchte Ihnen den Umgang mit ***Microsoft Windows Vista*** und Ihrem Computer erleichtern. Unabhängig davon, ob Sie bereits zuvor mit einer anderen Windows-Version Erfahrung gesammelt haben oder zum ersten Mal vor einem Computer sitzen: Es gibt viel Neues und Interessantes zu entdecken.

Dieses ***erste Kapitel*** fasst die allgemeinen Grundlagen im Umgang mit Computern zusammen. So bereitet es Sie nicht nur auf die Handhabung von Vista, sondern auch auf die Ihres Computers vor. Den Abschluss bildet der erste Start von Windows.

Im ***zweiten Kapitel*** lernen Sie die grundsätzlichen Bedienelemente von Windows Vista kennen und anzuwenden.

Den Mittelpunkt des ***dritten Kapitels*** bildet der Umgang mit Dateien, Ordnern und Festplatten. Hier erfahren Sie auch alles zum Thema Speichern, Kopieren und Wiederfinden mit dem Explorer.

Das ***vierte Kapitel*** ist der Systemsteuerung von Windows gewidmet, mit deren Hilfe Sie den Computer individuell anpassen und Programme, Benutzer und Geräte verwalten können.

Im ***fünften Kapitel*** werden die wichtigsten und nützlichsten Anwendungsprogramme von Windows Vista erläutert. Hier sind Sie richtig, wenn Sie Briefe schreiben, Musik hören oder auf CD brennen oder Ihre Fotosammlung endlich einmal richtig sortieren wollen.

Das ***sechste Kapitel*** behandelt das Thema Internet und Sicherheit und gibt Ihnen einen Einblick in die Online-Welt des World Wide Web.

Das *siebte Kapitel* schließlich dreht sich um die moderne Form des Briefes, die E-Mail. Hier erfahren Sie, wie Sie ein E-Mail-Konto einrichten und mit Windows Mail Ihre Korrespondenz erledigen.

Das abschließende *Glossar* ermöglicht Ihnen das schnelle Nachschlagen wichtiger Fachbegriffe.

1.2 Aufbau und Funktion Ihres Computers

Kleine Computer finden sich heute in den meisten elektronischen Geräten – vom Fernseher bis zur Spülmaschine, vom Mobiltelefon bis zum Faxgerät. Diese Computer sind jedoch sehr speziell auf den jeweiligen Einsatzzweck ausgerichtet, andere als die vorgesehenen Aufgaben lassen sich mit ihnen nicht erfüllen.

Der PC als Universalmaschine – schon die Themen in der Systemsteuerung von Vista zeigen die Vielfalt der Möglichkeiten.

Ihr Computer, ein *Personal Computer* (PC) – also „persönlicher Computer" – mit Windows Vista unterscheidet sich von diesen, da er für sehr verschiedene Aufgaben eingesetzt werden kann. Von der Fotobearbeitung bis zur Steuererklärung kann er ein hilfreiches Werkzeug sein. Er ist somit eine Art Universalmaschine. Und genau das ist auch der Grund, warum er – um eine oft gestellte Frage zu beantworten – nicht so einfach wie ein Fernseher zu bedienen ist. Ein PC ist eben nicht nur auf einen Einsatzzweck optimiert; er kann zwar als Fernseher verwendet werden, aber ebenso gut Hunderte anderer Aufgaben erfüllen. Die Bedienung dieser Vielzahl von Möglichkeiten ist notwendigerweise recht offen gestaltet; ihr liegt aber immer eine gemeinsame Logik zu Grunde, und Vista unterstützt Sie mit vielen hilfreichen Funktionen.

Die physischen („realen") Teile eines Computers werden als ***Hardware*** bezeichnet, unabhängig von ihrer genauen Funktion. Sie haben erst einmal eine ***Tastatur***, eine ***Maus***, einen ***Bildschirm*** (***Monitor***) und eine ***Zentraleinheit*** vor sich. Oder Sie haben einen ***Laptop*** (***Notebook***) erworben, in dem alle diese Teile in einem kompakten Gehäuse zusammengefasst sind. Vielleicht besitzen Sie auch weitere Geräte wie Drucker, Scanner, Lautsprecher und Ähnliches.

Symbole für verschiedene Hardware in Windows Vista.

Etwas genauer kann man die Hardware in die ***Peripherie***-Geräte (die Informationen ein- oder ausgeben) und die ***Zentraleinheit*** (die Informationen verarbeitet) unterteilen.

Zur ***Eingabe*** dienen beispielsweise: Tastatur, Maus, Scanner, Webcam oder Digitalkamera.

Zur ***Ausgabe*** dienen beispielsweise: Bildschirm, Drucker, Lautsprecher.

Der eigentliche „Rechner" ist dabei die Zentraleinheit bzw. der ***Prozessor***, der eine schier unglaubliche Menge an einfachen Berechnungen in jeder Sekunde durchführen kann. Im Unterschied zu den oben genannten, beispielsweise in der Spülmaschine eingebauten Kleincomputern kann bei Ihrem PC mit Steuerprogrammen festgelegt werden, was berechnet wird, was mit den Berechnungsergebnissen geschehen soll – es können Aktionen in Abhängigkeit vom Ergebnis einer Berechnung ausgeführt werden. Ohne diese ***Steuerprogramme*** wäre Ihr Computer nach dem Hochfahren nichts anderes als ein eingeschalteter Taschenrechner, der auf Eingabe wartet, mit dem Sie aber z. B. keine Texte oder Fotos bearbeiten könnten. Die Gesamtheit dieser Steuerprogramme wird als ***Software*** bezeichnet. Sie bestimmt, was Sie alles mit dem Computer machen können.

Das Logo von Microsoft Windows Vista.

Gemäß dieser Definition ist ***Microsoft Windows*** natürlich auch eine Software. Aber Windows ist mehr: Es ist ein ***Betriebssystem***. Ein Betriebssystem bildet die Basis für die Ausführung anderer Software. Sicher ist Ihnen aufgefallen, dass es viele verschiedene Formen von PCs gibt, die sich nicht nur äußerlich beträchtlich unterscheiden, sondern auch hinsichtlich ihrer Ausstattung.

Damit auf dieser unterschiedlichen Hardware die gleichen Steuerprogramme ablaufen können, benötigt man eine ***Abstraktionsschicht***, also eine Art Puffer zwischen der unterschiedlichen Hardware und den Steuerprogrammen. Zum Beispiel muss ein Musikstück auf jedem Computer gleich schnell abgespielt werden, unabhängig von der Computergeschwindigkeit; und eine Textverarbeitung muss einen Brief immer anzeigen können, egal wie groß der Bildschirm ist.

Die Aufgabe dieses „Puffers“ übernimmt das Betriebssystem, in unserem Fall ***Windows Vista***. Es bietet aber nicht nur den Programmen, die in Vista ablaufen (so genannte ***Anwendungsprogramme***), eine standardisierte Schnittstelle, sondern auch Ihnen! Die so genannte ***Benutzerschnittstelle*** ist Ihre Sicht auf das Betriebssystem und zeigt Ihnen die Anwendungsprogramme in der leicht verständlichen Form von „Fenstern“ (engl. „Windows“) – mit „Knöpfen“ (engl. „Buttons“) zum Bedienen unterschiedlichster Funktionen.

1.3 Varianten von Windows Vista und Installation

Während es von früheren Windows-Versionen maximal zwei Varianten gab, so gibt es bei Vista erstmals eine Vielzahl an Varianten, die von ***Home Basic*** bis ***Ultimate*** reichen, unterschiedliche Elemente enthalten und dementsprechend unterschiedliche Verkaufspreise haben. In der folgenden Tabelle finden Sie eine Aufstellung der Elemente, die jede Variante enthält.

Varianten-name	*Aero-Oberfläche*	*Media-Center*	*Teamarbeit Netzwerk*	*Backup-/ Faxfunktion*
Home Basic	-	-	-	-
Home Premium	✔	✔	✔	-
Business	✔	-	✔	✔
Ultimate	✔	✔	✔	✔

Die so genannte ***Aero***-Oberfläche lässt Anwendungsfenster wie aus Glas erscheinen. Dies sieht zwar nett aus, hat aber auf die Funktionalität keinen weiteren Einfluss und setzt einen leistungsfähigeren Computer voraus.

Das ***Media-Center*** ist ein Zusatz, der besonders zum Verwalten und Wiedergeben von Filmen und Musik interessant ist. Eine Verwaltung und Nutzung von Medien ist aber auch ohne das Media-Center möglich.

Teamarbeit im Netzwerk ist eine sinnvolle Funktion, wenn Computer beruflich eingesetzt werden.

Die integrierte ***Backup***-Funktion ist ebenso wie die *Fax*-Funktion nur in den Versionen Business und Ultimate enthalten.

Sollten Sie noch kein ***Windows Vista*** besitzen und vor der Überlegung stehen, welche Variante Sie sich zulegen, so hängt dies von verschiedenen Faktoren ab: einem eventuell schon vorhandenen PC, Ihrem Hauptinteresse – Nutzung zu Hause (engl. „home“) oder geschäftlich (engl. „business“) – und natürlich Ihrem Geldbeutel.

> !
> **TIPP Wenn Ihr Computer bereits etwas älter ist, können in der Regel nicht alle Features (beispielsweise transparente Fenster) aktiviert werden. Home Basic ist in diesem Fall die sinnvollste und günstigste Variante. Wichtig: Die Update-Funktion steht bei vorhandenen Systemen mit XP Home für alle Varianten, bei XP Professional nur für die Business-Varianten von Vista zur Verfügung.**

Die ***Installation von Windows*** ist – vor allem im Vergleich zu früheren Versionen – zwar nicht kompliziert, würde aber den Rahmen dieses Buches sprengen.

Sollte Vista noch nicht installiert sein oder möchten Sie von einem vorhandenen System auf Vista umsteigen, so lesen Sie sich bitte zunächst die Angaben im Begleitheft der Windows-DVD durch. Wenn Ihr Rechner für Vista vorbereitet ist, so genügt es, die DVD einzulegen und den Computer zu starten.

Eine detaillierte Schritt-für-Schritt-Anleitung an dieser Stelle würde den Rahmen dieses Buches sprengen. Vielleicht haben Sie im Zweifelsfall einen computerkundigen Freund, der Sie beraten kann?

Bei einem neu gekauften Rechner mit Windows Vista ist das Betriebssystem normalerweise bereits installiert und Sie können sofort loslegen.

TIPP Sollten Sie noch keinen Computer gekauft haben, so richten Sie sich beim Kauf nach folgenden Mindestanforderungen von Vista: mindestens 1 GHz Taktfrequenz, mindestens 1 GB Arbeitsspeicher, mindestens 60 GB Festplatte, Grafikkarte mit Unterstützung von DirectX9 oder DirectX10, DVD-Laufwerk.

1.4 Grundlagen der Bedienung

1.4.1 Maus

Die Computer-Maus (meist nur ***Maus*** genannt) ist unverzichtbarer Bestandteil moderner Computer. Sie dient als universelles Zeigegerät, mit dem Objekte markiert und Programme oder Aktionen gestartet werden können.

Moderne Mäuse (unabhängig ob kabellos oder mit Kabel) besitzen an der vorderen Oberseite Tasten, mittig befindet sich meist ein Rädchen. Die Tasten werden als ***linke*** und ***rechte Maustaste*** bezeichnet, das Rad als ***Mausrad*** (engl. ***„Scroll Wheel“***) und dienen unterschiedlichen Aufgaben.

Die Entsprechung zur Maus auf dem Computerbildschirm ist der ***Mauszeiger*** (der kleine weiße Pfeil mit schwarzer Umrandung), der sozusagen über allen anderen Objekten auf dem Bildschirm schwebt.

> **!** **TIPP** Um die Maus optimal benützen zu können, platzieren Sie Ihre Hand so auf der Maus, dass der Zeigefinger auf der linken Maustaste, der Mittelfinger über dem Mausrad und der Ringfinger über der rechten Maustaste zu liegen kommt. Falls Sie mit dem Ringfinger die Taste nur schlecht drücken können, können Sie natürlich auch den Mittelfinger für Mausrad und rechte Maustaste verwenden.

- Wenn Sie die Maus *bewegen*, so bewegt sich auf dem Bildschirm der *Mauszeiger* in die gleiche Richtung. Bewegen Sie die Maus von sich weg, so fährt der Pfeil zum oberen Rand des Bildschirms, bewegen Sie sie auf sich zu, so fährt der Pfeil nach unten. Ebenso verhält es sich mit Bewegungen nach links und rechts.

- Wenn Sie einmal auf die linke Maustaste drücken und wieder loslassen (*klicken*), so wählen Sie das Objekt (Programm, Datei, Internetlink ...) aus, auf das der Mauspfeil auf dem Bildschirm gerichtet ist.

- Führen Sie den Klick mit der *linken Maustaste* zwei Mal schnell hintereinander aus, spricht man von einem *Doppelklick*. Dieser Doppelklick wird sehr oft verwendet, z. B. zum Starten von Programmen oder zum Markieren von Wörtern in Texten.

- Ebenso wie den Klick mit der linken Maustaste gibt es einen *Klick mit der rechten Maustaste*. Dieser ruft gewöhnlich ein Kontextmenü auf, das weitere Möglichkeiten anbietet, etwa Umbenennen, Löschen oder Kopieren des gewählten Objektes.

- Mit dem *Mausrad* zwischen den beiden Tasten können Sie sich in längeren Dokumenten auf- und abbewegen. Dies wird oft auch in eingedeutschtem Englisch als *Scrollen* bezeichnet. Sie können dabei durch eine Drehung des Rades von Ihnen weg im Dokument

nach oben scrollen, durch eine Drehung zu Ihnen hin scrollen Sie im Dokument nach unten.

> **!**
>
> **TIPP Gerade der Doppelklick ist am Anfang manchmal etwas schwierig. Achten Sie darauf, dass Sie zwischen den beiden Klicks die Maus nicht bewegen, und versuchen Sie die beiden Klicks ohne Hast zügig durchzuführen. Im Kapitel Systemsteuerung erfahren Sie, wie Sie die zulässige Doppelklickzeit erhöhen können.**

Es kann sein, dass Ihnen die Bewegungen mit der Maus am Anfang ungewohnt vorkommt. Die Benutzung wird Ihnen aber schnell leichter von der Hand gehen. Versuchen Sie sich einfach auf den Mauszeiger zu konzentrieren, die Hand macht dann meist automatisch die richtige Bewegung.

1.4.2 Mauszeiger

Der ***Mauszeiger*** zeigt Ihnen unter Windows aber nicht nur die zur Maus passende Position auf dem Bildschirm an, sondern präsentiert außerdem eine Fülle weiterer Informationen. Normalerweise erscheint der Mauszeiger in Form eines einfachen ***Pfeils***, er kann jedoch zahlreiche weitere Formen annehmen.

Hier sehen Sie eine Übersicht der Standard-Mauszeiger von Windows Vista.

	Der ***normale Mauszeiger*** dient der Auswahl von Objekten wie Dateien, Programmen, Schaltflächen und Ähnlichem. Ausschlaggebend ist die Position der Spitze links oben. Der Computer wartet auf Aktionen von Ihnen. Zum Starten von Programmen verwenden Sie den Doppelklick.
	Der ***Kontext-Hilfe***-Mauszeiger erscheint, wenn bei einem Klick mit der linken Maustaste zusätzliche Informationen zu einem Objekt angezeigt werden können.

	Dieser Mauszeiger symbolisiert, dass der Computer gerade mit einer Aufgabe beschäftigt ist (sog. ***Hintergrundaktivität***), Sie ihn aber wie gewohnt weiter verwenden können.
	Verwandelt sich der Mauszeiger in dieses Symbol, ist Windows momentan ***ausgelastet***. Dies bedeutet, dass Ihr Computer gerade die ganze Rechenleistung für anstehende Aufgaben benötigt und nicht auf Ihre Eingaben reagieren kann. Warten Sie kurz, bis der Computer wieder mehr Zeit hat.
	Dieser Mauszeiger dient der ***Präzisionsauswahl*** und ermöglicht das exakte Anvisieren von Positionen durch das Fadenkreuz.
	Der ***Textauswahl***-Mauszeiger erscheint, wenn der Mauszeiger über einer Position steht, an der der Computer eine Texteingabe erwartet. Nach einem Klick an dieser Position können Sie Text über die Tastatur eingeben.
	Der Mauszeiger ***Handschrift-Eingabe*** wird nur bei speziellen Geräten mit Stift-Eingabe angezeigt.
	Verwandelt sich der Mauszeiger in dieses Symbol, so ist dieser Bereich bzw. diese Aktion gerade ***nicht verfügbar***.
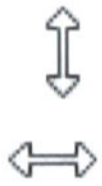	Diese beiden Doppelpfeile zeigen an, dass mit der Maus durch Drücken der linken Maustaste und anschließendes Ziehen eine ***vertikale bzw. horizontale Größenänderung*** durchgeführt werden kann.
	Diese beiden Doppelpfeile zeigen an, dass mit der Maus durch Drücken der linken Maustaste und anschließendes Ziehen eine ***diagonale Größenänderung*** durchgeführt werden kann.
	Erscheint dieses Kreuz, so können Sie das Objekt (bspw. ein Fenster) durch Klicken und Ziehen ***verschieben***.
	Dieser Pfeil zeigt eine ***alternative Auswahlmöglichkeit*** an.
	Diese Hand erscheint bspw. in Internetprogrammen (sog. Browsern) und symbolisiert die Möglichkeit einer ***anklickbaren Verknüpfung***. Erscheint die Hand, so reicht stets ein einfacher Klick der linken Maustaste zum Aktivieren.

Liste der wichtigsten Mauszeiger-Symbole.

1.4.3 Tastatur

Grundsätzlich unterscheidet sich eine Computer-Tastatur nur wenig von einer Schreibmaschinen-Tastatur. Es sind jedoch einige wichtige Tasten bzw. Tastenbedeutungen hinzugekommen, die hier kurz erläutert werden sollen.

F1 ... F12	Diese so genannten ***Funktionstasten*** finden Sie in der obersten Zeile Ihrer Tastatur. Sie führen je nach Programm spezielle Funktionen aus. Die Taste ***F1*** ruft die ***Hilfe***-Funktion des Programms auf. Auch die Windows-Vista-Hilfe kann über sie aktiviert werden.
Esc	Die ***Escape***-Taste (engl. „Flucht“) dient häufig dem Abbrechen oder Verlassen von Fenstern und Funktionen.
|← →|	Mit der ***Tabulator***-Taste rücken Sie in Texteingabe-Feldern Texte ein, ansonsten können Sie mit ihr häufig zum nächsten Objekt springen.
←	Die ***Rückschritt***-Taste setzt die Texteingabe-Position – wie bei der Schreibmaschine – um eins nach links und löscht gleichzeitig das letzte Zeichen.
Entf	Die ***Entf***-Taste entfernt das Zeichen rechts von der Eingabemarke, verändert deren Position jedoch nicht.
↵	Die ***Eingabe***-Taste bringt nicht nur einen Zeilenvorschub (wie auf der Schreibmaschine), sondern dient häufig auch dem Bestätigen von Eingaben.
Cursor-Tasten	Die ***Pfeil***-Tasten (auch Cursor-Tasten genannt) dienen der Navigation, beispielsweise in Texten. Dort verschieben sie die Eingabemarke, ohne dabei etwas zu löschen.
Shift	Die ***Umschalt***-Taste dient der Erzeugung von Großbuchstaben und Sonderzeichen.
Strg	Die ***Steuerungs***-Taste erlaubt eine Reihe von Abkürzungen (dazu unten mehr).

Alt	Die *Alt*-Taste ermöglicht in Verbindung mit einer Buchstaben-Taste den Aufruf von Programmfunktionen. Wenn Sie diese Taste kurz drücken, so erscheinen bei den Programmfunktionen i. d. R. unterstrichene oder hervorgehobene Buchstaben. Durch gleichzeitiges Drücken von Alt und der entsprechenden Taste kann die Funktion aufgerufen werden.
AltGr	Diese *Doppelte-Umschalt*-Taste erlaubt es, weitere Sonderzeichen, etwa die geschweifte Klammer „{„ oder das „@“, durch gleichzeitiges Drücken der entsprechenden Taste zu erzeugen.

Schließlich finden Sie noch zwei weitere für Vista sehr wichtige Tasten auf Ihrer Tastatur, die lediglich mit Grafiken belegt sind:

Die *Windows*-Taste (auch Start-Taste) öffnet das Startmenü, von dem aus Sie nahezu alle Windows-Funktionen erreichen können.

+D	Blendet alle Fenster aus und bringt den Desktop zum Vorschein.
+E	Öffnet den Explorer zur Navigation in Dateien und Ordnern.
+F	Öffnet das Suchfenster, um Dokumente und Dateien zu finden.
+TAB	Zeigt eine verkleinerte Version aller vorhandenen Fenster an, das so genannte Flip 3D.
Alt+F4	Schließt das aktuelle Programm.

Die *Kontextmenü*-Taste öffnet ein Menü mit Optionen zum aktiven Objekt. Sie entspricht dem Druck auf die rechte Maustaste.

Wie oben erwähnt, gibt es einige nützliche Tastenkombinationen, die Ihnen viel Zeit sparen können.

Auch die Steuerungstaste hilft bei häufig anfallenden Aufgaben, zum Beispiel beim Texte schreiben:

Strg+A	Markiert im aktuellen Fenster den gesamten Text bzw. alle Objekte.
Strg+C	Kopiert einen markierten Text bzw. ein markiertes Objekt (Datei, Bild etc.) in die Zwischenablage. Von dort kann es an anderen Stellen eingefügt werden.
Strg+X	Schneidet einen markierten Text bzw. ein markiertes Objekt (Datei, Bild etc.) aus und stellt es in die Zwischenablage. Von dort kann es an anderen Stellen eingefügt werden.
Strg+V	Fügt das Objekt aus der Zwischenablage wieder ein.

Im nächsten Kapitel geht es in die Praxis.

1.5 Starten und Beenden von Windows

Ihr Computer ist nun mit Windows Vista ausgerüstet, Sie wissen theoretisch bereits einiges über den Umgang mit Maus und Tastatur und sind bereit für den ersten Start. Vielleicht fragen Sie sich, warum ein eigenes Unterkapitel dem Starten und Beenden gewidmet ist. Anders als z. B. bei einem Fernseher führt Ihr Computer bei jedem Start einige Tests durch, lädt und speichert bestimmte Zustände und stellt damit sicher, dass alles für die Benutzung in Ordnung ist. Sie sollten daher den Computer nicht einfach ausschalten, nachdem Sie ihn verwendet haben, sondern ***Herunterfahren***. Dazu aber später mehr.

Nach dem Einschalten erscheinen in der Regel einige Zeilen Text, in denen die Ausstattung des Computers beschrieben wird; anschließend beginnt der Ladevorgang von Windows (das so genannte ***Booten***) automatisch. Während dieser Zeit erscheint auf dem Bildschirm ein durchlaufender Balken, der anzeigt, dass der Rechner gerade arbeitet.

> **!** **TIPP** **Sollte Ihr Computer nach dem Einschalten einmal nicht mit dem gewohnten Start von Windows beginnen, so kann dies daran liegen, dass sich eine Diskette im Disketten- oder eine CD-Rom im CD-Laufwerk befindet. Entnehmen Sie diese und drücken Sie danach entweder auf *Reset* oder schalten Sie den Computer aus und nach einigen Sekunden wieder ein.**

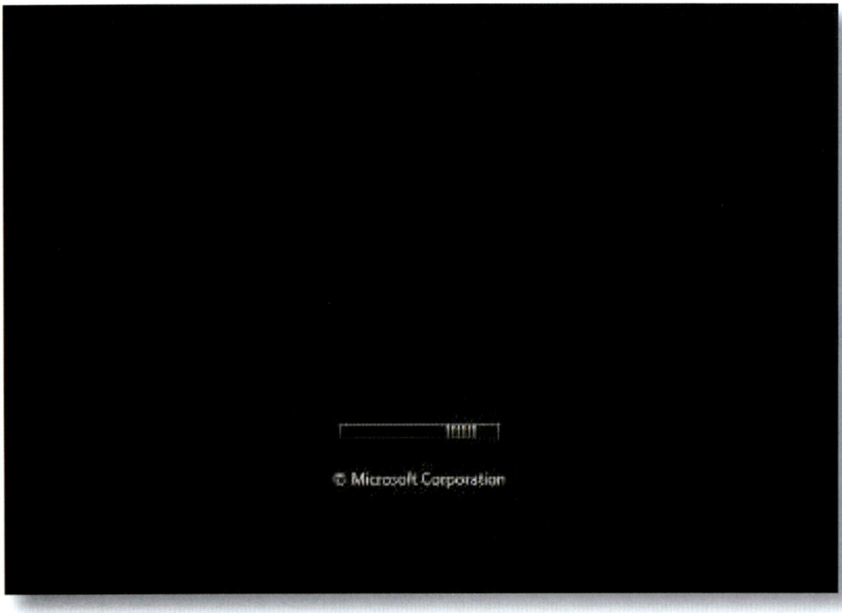

Windows Vista während des Starts.

Während des Startens wird auch geprüft, ob die gespeicherten Dateien auf Ihrem Computer in Ordnung sind. Sollte ein Fehler bemerkt werden, wird dieser angezeigt, und Sie können defekte Dateien meist durch die Auswahl der Option ***Wiederherstellen*** (Taste W) reparieren.

Nach einiger Zeit sind alle Teile von Windows Vista geladen und eine animiertes Windows-Logo zeigt an, dass Windows bereit ist.

Das animierte Windows-Logo und der Startklang begrüßen Sie bei Windows.

Als Nächstes sehen Sie auf Ihrem Bildschirm eine solche oder ähnliche Anzeige:

Der Anmeldebildschirm von Windows Vista.

Das kleine Bild symbolisiert den aktuellen ***Benutzer***, darunter steht dessen ***Benutzername***. Wurde ein Passwort vergeben, so kann dieses in die Textzeile darunter eingetragen werden.

!

TIPP Wenn bei Ihnen kein Anmeldebildschirm erscheint, dann ist auf Ihrem Computer nur ein einziger Benutzer ohne Passwort eingerichtet und die Schritte zur Anmeldung entfallen.

Wenn auf Ihrem Computer mehrere Benutzer eingetragen sind (beispielsweise „Administrator“, „Hans“ und „Gast“), finden Sie hier alle Benutzernamen angezeigt. Sollten Sie nur einen Benutzernamen sehen, so klicken Sie auf diesen, bei mehreren wählen Sie den gewünschten aus, indem Sie den ***Mauszeiger*** auf das Benutzersymbol bewegen und die ***linke Maustaste*** drücken. Wenn ein ***Passwort*** einzugeben ist, so können Sie dies nun eintragen und mit der ***Eingabe***-Taste bestätigen.

TIPP Der Benutzer *Administrator* **hat die meisten Rechte und darf alle Einstellungen ändern. Sie sollten ihn daher nur verwenden, wenn Sie wichtige Einstellungen anpassen müssen. Ansonsten ist ein Benutzer mit normalen Rechten die sicherste Wahl.**

Vista bietet die Möglichkeit, dass sich mehrere Benutzer einen Computer teilen. Zwar können nicht mehrere Menschen zur selben Zeit an einem Computer arbeiten, da es nur eine Tastatur, eine Maus und einen Bildschirm gibt, aber sie können sich beim Arbeiten abwechseln. Damit Sie nicht jedes Mal wieder Ihre persönlichen Einstellungen (Hintergrundbild, Lieblingsprogramme, Mauseinstellungen) neu setzen müssen, gibt es so genannte ***Benutzerkonten***. Ein Benutzerkonto fasst alle diese Einstellungen zusammen und kann zusätzlich mit einem Passwort geschützt werden.

Nach dem Anmelden sehen Sie nun endlich die Arbeitsfläche von Windows, den so genannten ***Desktop***. Die zahlreichen Details auf diesem Desktop werden im nächsten Kapitel erläutert.

Schauen Sie sich zunächst einfach ein bisschen um und gewöhnen Sie sich an die Mausbewegungen.

Nach Ihrem ersten Start von Windows versuchen Sie nun auch das korrekte Beenden, das so genannte ***Herunterfahren*** des Betriebs-

Windows Vista nach dem ersten Start mit dem Begrüßungscenter.

systems. Wie schon erwähnt, sollte ein Computer nie einfach ausgeschaltet werden, da in diesem Fall Daten verloren gehen oder zerstört werden können. Befolgen Sie stattdessen diese Schritte:

1. **Klicken Sie zunächst auf das bunte Windows-Symbol in der linken unteren Ecke.**

2. **Das so genannte *Startmenü* öffnet sich. Bewegen Sie den Mauszeiger im Startmenü auf den Pfeil in der rechten unteren Ecke, neben dem Vorhängeschloss.**

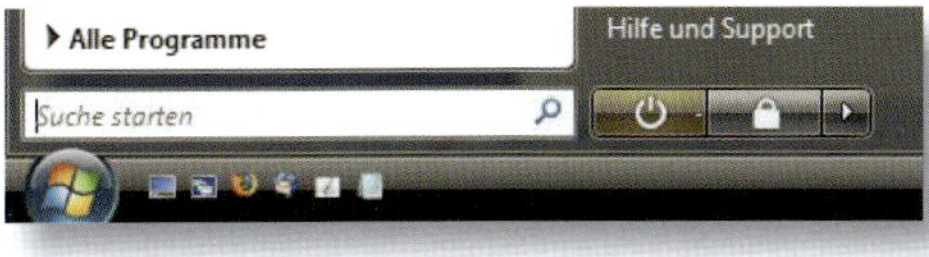

3 Nun erscheint ein kleines Menü. Wählen Sie hier den Menüpunkt *Herunterfahren* mit einem Klick aus.

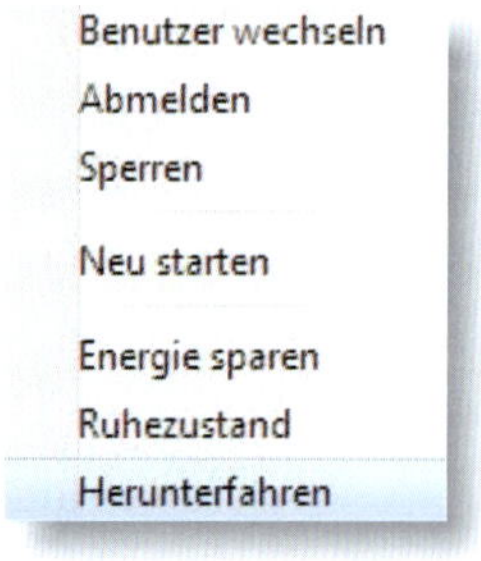

4 Der Computer speichert nun alle Daten und zeigt eine Meldung an, dass der Computer heruntergefahren wird. Wenn alles gespeichert wurde, schaltet er sich von selbst aus.

Herzlichen Glückwunsch, Sie können Vista jetzt korrekt starten und beenden! Im nächsten Kapitel erfahren Sie alles über die Elemente, mit denen die Programme in Vista bedient werden.

2 Elemente der Benutzeroberfläche

2.1 Desktop

Wie Sie sehen, existieren auf der Arbeitsfläche von Windows unterschiedliche Objekte, die hier erklärt werden.

Die Elemente der Arbeitsfläche von Windows Vista.

❶ *Desktop:* Der Begriff Desktop kann in zwei Bedeutungen gebraucht werden: Im weiteren Sinn bezeichnet er die gesamte grafische Benutzeroberfläche, also alles, was Sie unter Vista auf dem Bildschirm sehen. Im engeren Sinne bezeichnet der Desktop die „leere" Hintergrundfläche, auf der Fenster und Icons dargestellt werden. In der Regel ist der engere Wortsinn gemeint, insbesondere wenn von Klicks auf den Desktop die Rede ist.

! TIPP **Stellen Sie sich den Desktop als elektronischen Schreibtisch vor, auf dem Dokumente abgelegt werden können.**

❷ *Mauszeiger:* Den Mauszeiger und die Bedienung der Maus haben Sie bereits im vorangegangenen Kapitel kennen gelernt. Sie wissen, dass Ihnen der Mauszeiger die Auswahl von Programmen, Dateien und Aktionen erlaubt und über seine Form anzeigt, welche Aktionen möglich sind.

❸ *Startleiste:* Die Startleiste oder *Taskleiste* (engl. task = Aufgabe) enthält das Startmenü, mit dem Sie Zugang zu allen Programmen und Einstellungen haben. Außerdem zeigt sie an, welche Programme aktiv sind und in welchem Zustand Ihr System gerade ist.

! **TIPP Sollte die Startleiste einmal verdeckt sein, so können Sie sie immer mit der *Windows*-Taste in den Vordergrund bringen und das Startmenü öffnen.**

❹ *Fenster:* Programme zeigen sich in abgetrennten Bereichen auf dem Bildschirm, den Fenstern. Diese Fenster lassen sich in der Größe ändern, verschieben und zeitweise verstecken. Hier sehen Sie das Begrüßungscenter-Fenster von Windows Vista.

❺ *Symbole:* Programme werden bei Windows durch einprägsame, kleine Bilder, meist in Verbindung mit dem Anwendungsnamen, angezeigt. Diese Symbole werden auch als *Icons* bezeichnet. Im Beispiel ist dies der *Papierkorb*, in dem sich wie in einem realen Papierkorb nicht mehr benötigte Dokumente oder Daten befinden.

Das zentrale Element zur Bedienung von Windows ist die Startleiste, daher werden wir diese als Nächstes näher betrachten.

2.2 Startleiste

Die Startleiste besteht aus mehreren Elementen:

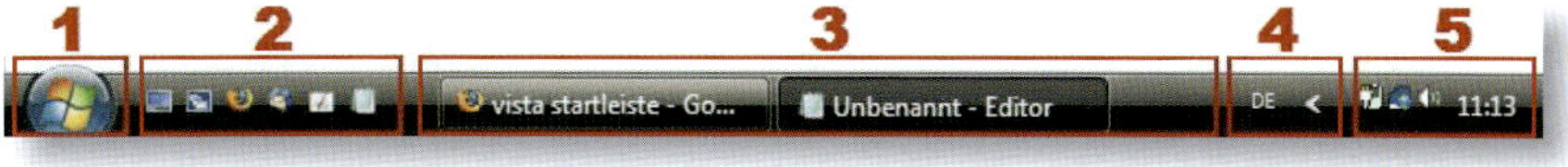

Die Elemente der Startleiste.

1 Wie schon das große, glänzende Windows-Logo andeutet, ist das wichtigste Bedienelement der Startleiste der *Start-Button* (Button = engl. „Knopf"). Durch einen Klick auf diesen Bereich öffnet sich das *Startmenü*, das im nächsten Kapitel genauer beschrieben wird.

2 Dieser Bereich wird als *Schnellstartleiste* bezeichnet. Er hilft Ihnen, häufig benutzte Programme mit einem Klick zu starten. Die Symbole in diesem Bereich sind verkleinerte Versionen der Symbole, die Sie auch auf dem Desktop sehen.

Die zwei Symbole neben dem ***Start***-Schaltfläche haben besondere Funktionen:

Ein Klick auf das linke Symbol (***Desktop anzeigen***) verkleinert alle offenen Fenster, sodass der Desktop wieder sichtbar wird. Ein erneuter Klick lässt die Fenster an ihre ursprüngliche Position zurückkehren.

Das zweite Symbol (***Window Switcher***) zeigt eine dreidimensionale Voransicht (***Flip 3D***) aller Fenster und erlaubt Ihnen so, bequem zwischen diesen zu wechseln: Drücken Sie in der 3D-Voransicht die ***Pfeil-Oben***- oder ***Pfeil-Unten***-Taste zum Blättern. Mit der ***Eingabe***-Taste können Sie das vorderste Fenster aktivieren und in die normale Ansicht zurückschalten.

Flip 3D zeigt alle geöffneten Fenster als 3D-Ansicht.

Sie können außerdem neue Schnellstart-Symbole anlegen, indem Sie die Symbole aus dem Startmenü, einem anderen Fenster oder vom Desktop in diesen Bereich ziehen. Ebenso können Sie Symbole aus dem Schnellstartbereich entfernen, indem Sie sie von dort in den Papierkorb ziehen.

!

TIPP Flip 3D lässt sich auch starten, indem Sie gleichzeitig die *Windows*- und *Tabulator*-Taste drücken. Um durch die Fenster zu blättern, halten Sie weiterhin die *Windows*-Taste gedrückt und betätigen Sie die *Tabulator*-Taste. Sobald das gewünschte Programm im Stapel an vorderster Stelle ist, lassen Sie die *Windows*-Taste los.

3 Der *Programmbereich* enthält Schaltflächen für jedes gerade ausgeführte Anwendungsprogramm. Auch hier finden Sie wieder eine verkleinerte Version des Programm-Symbols und außerdem den Titel des Programms. Von allen ausgeführten Programmen kann immer nur eines im Vordergrund sein. Ihre Eingaben werden immer an

dieses Fenster geschickt. Sie erkennen dieses Programm daran, dass seine Schaltfläche in der Startleiste heruntergedrückt erscheint.

Hier ist der Editor im Vordergrund, die Schaltfläche erscheint gedrückt.

Um ein anderes laufendes Programm in den Vordergrund zu holen, klicken Sie einfach auf dessen Schaltfläche. Wenn viele Programme laufen, ist die Unterscheidung manchmal schwierig. Hier hilft eine neue Funktion von Vista, die eine verkleinerte Version des Fensters einblendet, wenn der Mauszeiger über der Schaltfläche steht.

> **!** **TIPP** Mit der rechten Maustaste können Sie bei jeder Schaltfläche ein Menü aufrufen, in dem Sie Befehle zum Verkleinern, Vergrößern und Schließen einer Anwendung finden.

4 **Die *Eingabegebietsschema-Leiste* erlaubt ein schnelles Umschalten zwischen verschiedenen Tastatur-Layouts. Dies ist bei mehrfach belegten Tastaturen etwa im asiatischen Raum sehr praktisch, um schnell zwischen lateinischen Buchstaben und asiatischen Schriftzeichen wechseln zu können.**

5 **Der *Infobereich* (offiziell *Task Bar Notification Area* oder manchmal auch *Systray*) zeigt Programme an, die im Hintergrund ihre Arbeit**

> **!** **TIPP** Auf „Start", die Schnellstart-Symbole und die Einträge in der Programmleiste klicken Sie mit der linken Maustaste, um die Programme zu starten. Auf Einträge im Infobereich klicken Sie mit der rechten Maustaste. Da diese Programme ja bereits laufen, blenden Sie so deren Menü ein.

verrichten. Diese werden im Gegensatz zu den Anwendungen in der Programmleiste meist automatisch gestartet. Sie stellen oft Verwaltungsdienste (z. B. Windows-Aktualisierungen, drahtlose Kommunikation, Geräte-Abgleich) bereit und besitzen kein eigenes Fenster.

Ganz rechts wird praktischerweise immer die *aktuelle Uhrzeit* angezeigt. Fahren Sie mit dem Mauszeiger auf diese Position, so geht von selbst ein kleines Infofenster mit aktuellem Wochentag und Datum auf. Es blendet sich nach einigen Sekunden (oder wenn Sie die Maus bewegen) wieder aus.

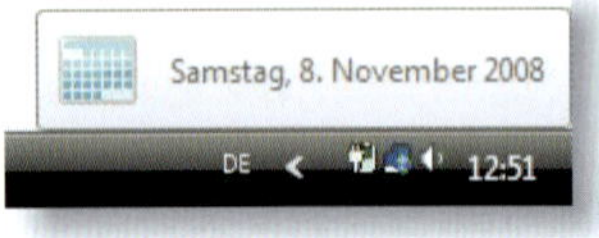

Wenn Sie nur schnell ein Datum nachsehen möchten, klicken Sie einmal mit der linken Maustaste auf die Uhrzeit, schon erscheint das größere Fenster, das bei nochmaligem Klick wieder verschwindet.

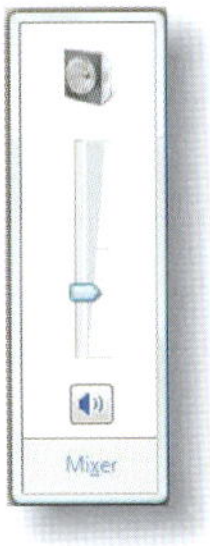

Ein weiteres hilfreiches Symbol ist der kleine Lautsprecher, über den Sie die Lautstärke einstellen können. Ein Klick darauf öffnet ein Fenster mit einem Schieberegler zum Einstellen der Lautstärke. Über den Knopf am unteren Ende des Fensters können Sie den Computer stummschalten, was Sie dann am kleinen, durchgestrichenen Lautsprechersymbol im Infobereich erkennen.

2.3 Startmenü

❶ **In dieser *Programm-Liste* finden Sie beim Öffnen des Startmenüs eine Übersicht der *häufig verwendeten Programme* und können diese durch Anklicken starten. Diese Liste merkt sich Windows auch, wenn Sie den Computer herunterfahren und das nächste Mal wieder einschalten. Die Programme für Internet und E-Mail sind in der Standardeinstellung des Startmenüs immer zu sehen, selbst wenn Sie sie nie nutzen sollten.**

❷ **Über *Alle Programme* schalten Sie die Programmliste um, sodass sie nun alle installierten Programme anzeigt. Nochmaliges Anklicken** bringt Sie wieder zur ursprünglichen Ansicht zurück. Die Programme sind teilweise direkt über ein Anklicken zu starten oder befinden sich in Unterordnern, die Sie ebenfalls mit einem einfachen Klick öffnen können.

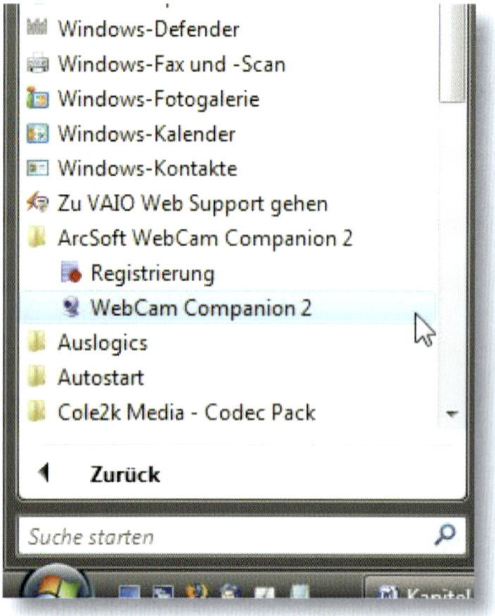

Auch aus dieser Liste können Sie übrigens Programm-Symbole in andere Bereiche, z. B. auf den Desktop, ziehen. Mit einem Rechtsklick können Sie ein Kontext-Menü öffnen.

3 Das *Suchfeld* ist eine Neuerung im Startmenü unter Vista. Es erlaubt durch die Eingabe eines Datei- oder Programmnamens die Anzeige aller gefundenen Treffer in der Programmliste und damit das direkte Öffnen von Programmen und Dateien, die sonst schwer auffindbar sind. Wenn Sie den exakten Namen des Programms wissen, ist dies oft der schnellste Weg: Geben Sie beispielsweise *Rechner* ein (meist reichen hier schon die Anfangsbuchstaben aus) und drücken Sie die *Eingabe*-Taste – schon öffnet sich der Taschenrechner von Windows.

4 Das *Nutzersymbol* bringt Sie mit einem Klick zu Ihren Benutzerkonto-Einstellungen. In diesen können Sie festlegen, ob Sie stets nach

einem Passwort gefragt werden wollen, welche Benutzerrechte dieses Konto hat und auch, welches Bild Sie als Ihr persönliches Symbol verwenden.

5 **Unter dem Nutzersymbol finden Sie *Verknüpfungen* zu voreingestellten Ordnern, in denen Sie Ihre Bilder, Musik, Dokumente und sonstigen persönlichen Dateien ablegen können.**

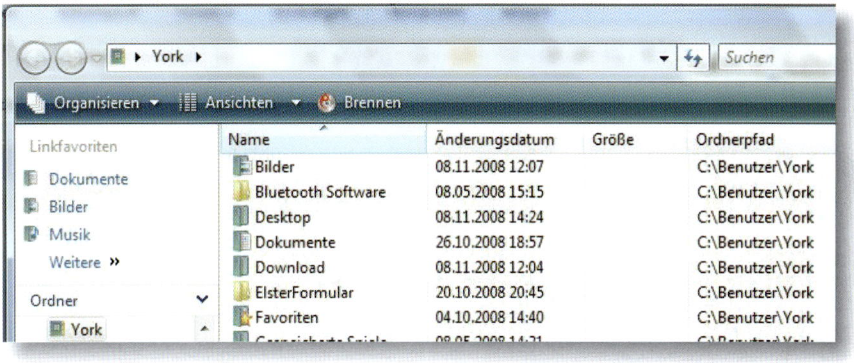

Ein Klick auf den Nutzernamen öffnet ein Fenster mit Ihrem Nutzerverzeichnis.

Beim Klick auf Ihren ***Nutzernamen*** wird Ihr persönliches Nutzerverzeichnis in einem neuen Fenster geöffnet. In diesem Verzeichnis befinden sich weitere Unterordner, u. a. ***Dokumente***, ***Bilder*** und ***Musik***. Benutzen Sie diese Unterordner ihrer Benennung entsprechend, um alle Funktionen von Vista – wie etwa die Windows-Fotogalerie oder den Windows MediaPlayer – optimal verwenden zu können. Die Verknüpfungen „Dokumente", „Bilder" und „Musik" bringen Sie direkt zu diesen Unterverzeichnissen. Ein Klick auf ***Zuletzt verwendet*** öffnet ein kleines Menü, in dem die zuletzt verwendeten Dokumente aufgelistet sind.

6 **Sollten Sie sich in einem Netzwerk befinden, sind die nächsten zwei Punkte besonders interessant: *Netzwerk* öffnet ein Fenster mit der Anzeige der im Netzwerk sichtbaren Computer und Ressourcen**

(Laufwerke, Drucker etc.). Hierfür müssen Sie jedoch bereits im Netzwerk verbunden und angemeldet sein. *Verbindung herstellen* hilft Ihnen dabei, eine drahtlose Verbindung über WLAN herzustellen, indem eine Übersicht der Netzwerke in Reichweite angezeigt wird. Mit diesen können Sie sich durch einen Doppelklick und die anschließende Eingabe der Verbindungsdaten verbinden.

7 Die nächsten drei Punkte dienen den Einstellungen und der Hilfe von Windows Vista. *Systemsteuerung* öffnet das universelle Kontrollzentrum von Vista, in dem Sie alle Einstellungen für Windows vornehmen können. Die Systemsteuerung wird im vierten Kapitel ausführlich behandelt.

Mit *Standardprogramme* können Sie festlegen, mit welchem Programm eine bestimmte Art von Dateien geöffnet werden soll. So werden Textdateien in der Regel mit dem Editor geöffnet, Sie können dies jedoch auch ändern. Achtung: Nicht alle Programme können alle Dateiarten verarbeiten (so kann ein Musikprogramm in der Regel keine Textdateien lesen).

Hilfe und Support öffnet die Hilfe-Anwendung von Windows Vista, die Ihnen bei vielen Fragen hilft. Der Umgang mit der Windows-Hilfe wird unter „Windows Vista Hilfe" beschrieben.

8 **Schließlich können Sie – wie Sie bereits im ersten Kapitel erfahren haben – Ihren Computer auch über das Startmenü herunterfahren, wozu die folgenden Schalter dienen:**

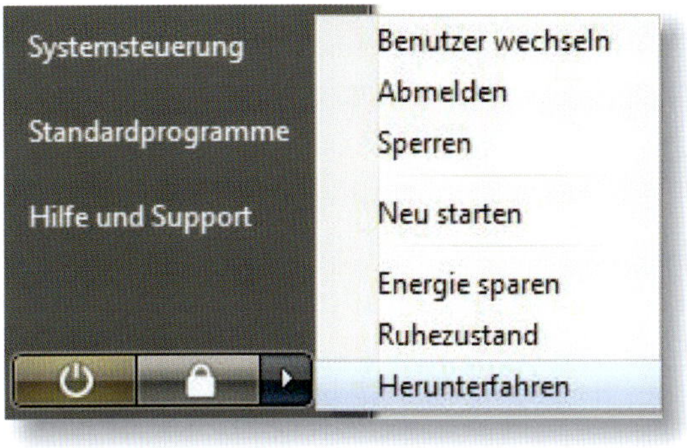

Der Schalter unten links mit dem ***Standby***-Symbol dient dazu, Vista in einen Schlafzustand (***Energiespar-Modus***) zu versetzen, aus dem heraus der Computer sehr schnell wieder gestartet werden kann.

 erscheint, wenn Ihr Computer nicht über einen Energiespar-Modus verfügt. Dieses Symbol (mit geschlossenem Kreis) fährt den Computer vollständig herunter.

 erscheint, wenn Windows während des Herunterfahrens durch Aktualisierungsdateien von Microsoft auf den neuesten Stand gebracht wird.

Das ***Vorhängeschloss*** meldet Sie bei Windows ab und sperrt den Computer, ohne ihn auszuschalten. Um Windows wieder benutzen zu können, müssen Sie sich erneut anmelden und ggf. Ihr Passwort neu eingeben. Diese Funktion ist für Büros sehr praktisch, da Ihre Arbeit dadurch nicht unterbrochen wird, aber kein Unbefugter direkten Zugriff darauf hat.

Das ***Pfeil***-Symbol öffnet ein Menü mit weiteren Optionen. Um Ihren Computer vollständig auszuschalten und alle Programme vorher zu beenden, verwenden Sie die Option ***Herunterfahren***. ***Ruhezustand*** ähnelt dem Energiespar-Modus, allerdings wird kein Strom mehr verbraucht und Sie finden alle Fenster nach dem Einschalten so vor, wie Sie sie verlassen haben. ***Energie sparen*** entspricht dem oben genannten Standby-Symbol. Mit ***Neu starten*** wird Windows heruntergefahren und der Rechner unmittelbar darauf erneut gestartet; dies kann nach der Installation von Programmen notwendig sein. ***Sperren*** entspricht der Funktion des Vorhängeschlosses. ***Abmelden*** erfordert im Anschluss ebenfalls eine Neuanmeldung, allerdings wird die alte Sitzung vollständig geschlossen. ***Benutzer wechseln*** schließlich erlaubt Ihnen, sich als anderer Benutzer anzumelden, ohne Ihre laufende Sitzung zu verlieren.

2.4. Fenster

Was ist neben der Startleiste das Wichtigste bei Windows? Richtig: die Fenster!

Fenster ermöglichen es Programmen, sich darzustellen. Sie verleihen allen Programmen ein einheitliches Erscheinungsbild und erleichtern so ihre Benutzung. Außerdem können Sie mit Hilfe von Fenstern mehrere Programme gleichzeitig offen lassen und zwischen ihnen wechseln. Sehen Sie sich zunächst ein typisches Fenster – das des Datei-Explorers – an.

> ! **TIPP Wenn Sie ein Fenster maximiert haben, können Sie es nicht mehr verschieben – es füllt ja bereits den ganzen Bildschirm aus.**

Wir beschränken uns erst einmal auf die Grundfunktionen, die nahezu alle Fenster gemeinsam haben.

Das Fenster des Windows Explorers.

1. Dieses Symbol verkleinert beim Anklicken ein Fenster in den Programmbereich der Startleiste hinein, das Fenster wird *minimiert*. Das Symbol versinnbildlicht eine Programmschaltfläche in der Startleiste. Um das Fenster wieder sichtbar werden zu lassen (wiederherzustellen), klicken Sie auf die Schaltfläche des Programms in der Startleiste.

2. Das zweite Symbol hat die gegenteilige Wirkung: Es *maximiert* ein Fenster, d. h. es zeigt ein Fenster bildschirmfüllend an.
Nicht alle Fenster lassen sich maximieren oder minimieren. Dann werden auch die entsprechenden Symbole nicht angezeigt.

3. Das rot hinterlegte x *schließt* das Fenster und beendet das zugehörige Programm. Vorsicht: Wenn Sie Änderungen in diesem Programm noch nicht gespeichert haben, kann es sein, dass Sie diese durch das Schließen verlieren. Daher vor dem Beenden am besten immer *Speichern*.

4. Die *Titelleiste* der Fenster enthält manchmal gar keinen Titel (wie in diesem Beispiel). Sie kann immer dazu verwendet werden, Fenster zu verschieben. Klicken Sie auf die Titelleiste und verschieben Sie bei gedrückter linker Maustaste das Fenster einfach an den gewünschten Platz.

Der ***Fensterrahmen*** ermöglicht es, das Fenster nach links, unten oder rechts zu vergrößern oder zu verkleinern. Dies wird durch entsprechende Mauszeiger, die Sie bereits kennengelernt haben, auch angezeigt. Auch die Ecken links unten und rechts unten ermöglichen das Verändern der Fenstergröße.

Wenn mehrere Fenster geöffnet sind, so legen sich diese übereinander, wie einzelne Papierblätter. Dabei liegt das Fenster, das „im Vordergrund ist" (an das also Ihre Eingaben geschickt werden), auch immer zuoberst und überlagert die anderen Fenster.

Mit Flip 3D haben Sie im Abschnitt ***Schnellstartleiste*** bereits ein Hilfsmittel kennengelernt, um einen Überblick über alle Fenster zu gewinnen. Auch dass Sie mit dem Mauszeiger im Programmbereich der Startleiste kleine Voransichten anzeigen lassen können, wissen Sie bereits. Nun lernen Sie noch eine dritte nützliche Möglichkeit kennen, um sich einen Überblick über alle Fenster anzeigen zu lassen. Drücken Sie hierzu die *Alt*-Taste gleichzeitig mit der *Tabulator*-Taste und halten Sie die *Alt*-Taste weiterhin gedrückt, während Sie die *Tabulator*-Taste loslassen. Es erscheint diese oder eine ähnliche Voransichtsleiste:

Die blaue Hinterlegung markiert das Fenster, das in den Vordergrund gebracht wird, sobald Sie die *Alt*-Taste loslassen. Um sich zum nächsten Mini-Fenster zu bewegen, halten Sie die *Alt*-Taste und betätigen Sie die *Tabulator*-Taste erneut.

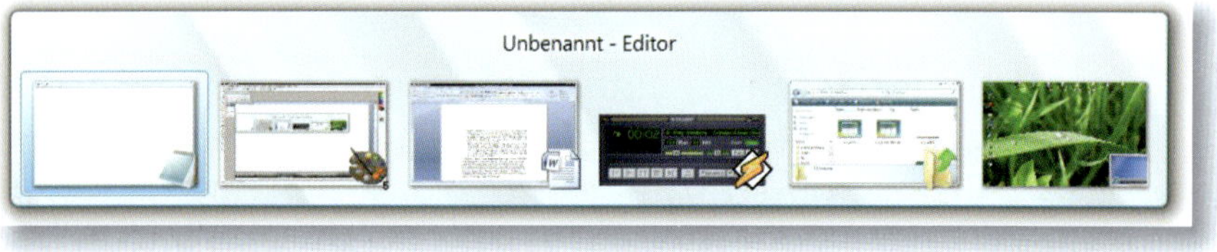

Bei jeder Fenstervoransicht wird auch das Programmsymbol angezeigt.

Manchmal sind jedoch auch mehrere Fenster geöffnet und Sie möchten diese gleichberechtig nebeneinander angeordnet haben. Von Hand die Fenster zu positionieren ist mühsam, Windows nimmt Ihnen das ab: Klicken Sie hierzu mit der rechten Maustaste in einen freien Bereich der Startleiste und wählen Sie im Kontext-Menü ***Überlappend***, ***Fenster gestapelt anzeigen*** oder ***Fenster nebeneinander anzeigen*** aus. Auf den folgenden Bildschirmen sehen Sie die Ergebnisse.

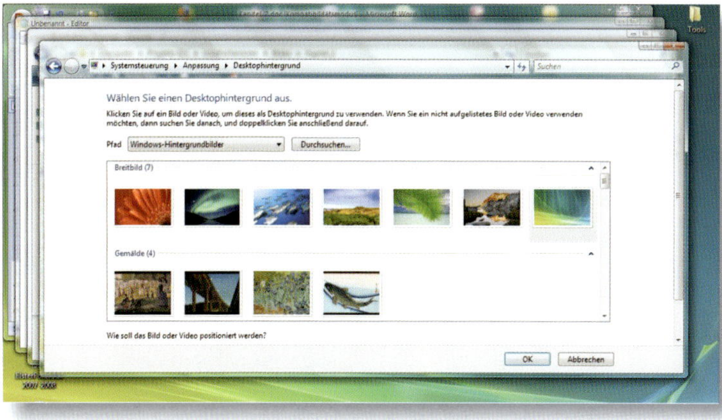

„Überlappend" angeordnete Fenster.

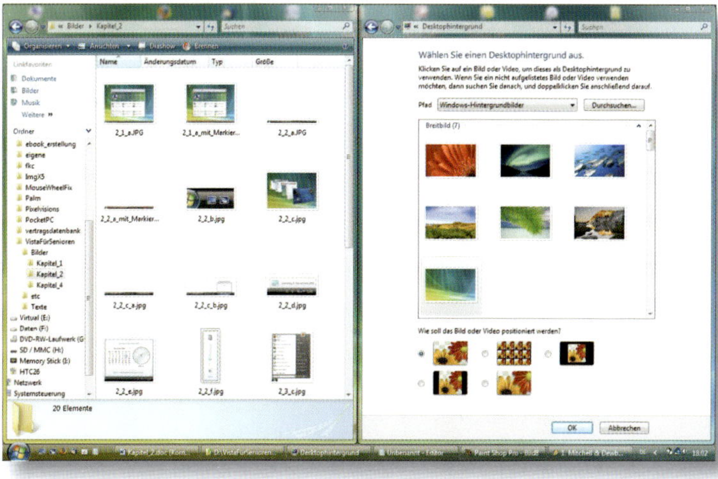

„Nebeneinander" angeordnete Fenster.

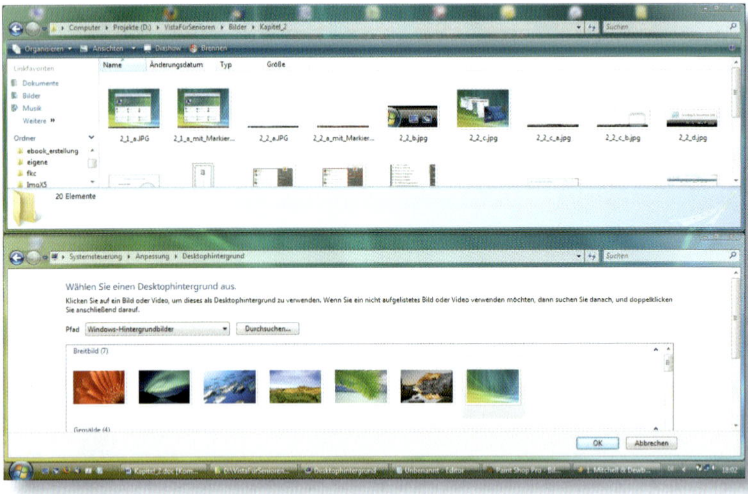

„Gestapelt“ angeordnete Fenster.

In den Darstellungen „Gestapelt“ und „Nebeneinander“ können höchstens vier Fenster gleichzeitig dargestellt werden.

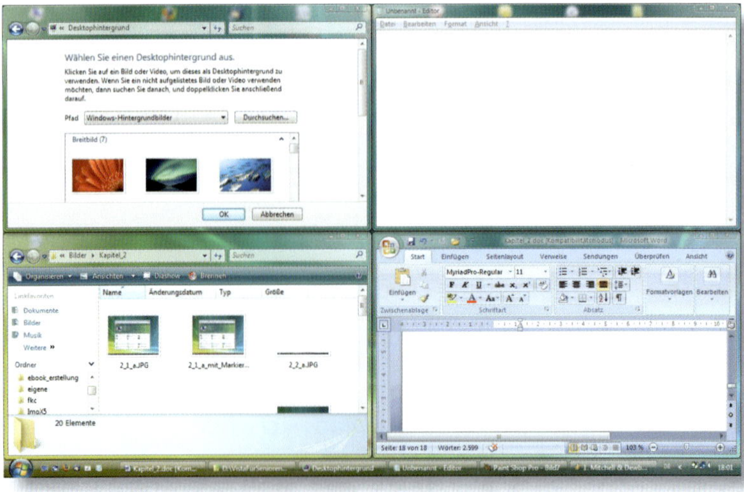

Vier Fenster im Format „Nebeneinander“ angeordnet.

2.5 Windows-Steuerelemente

In Windows gibt es eine Reihe so genannter *Steuerelemente* für Anwendungen, von denen Sie einige schon kennengelernt haben.

- ***Schaltflächen*** **(auch Knöpfe, engl. „Buttons") führen eine Aktion nach einem einfachen Klick mit der linken Maustaste aus. Sie enthalten in der Regel einen Text, eine Grafik oder beides, um ihre Funktion zu beschreiben. Hier einige Beispiele:**

Wenn eine Funktion zeitweise nicht verfügbar ist, werden Schaltflächen in grauer Farbe angezeigt.

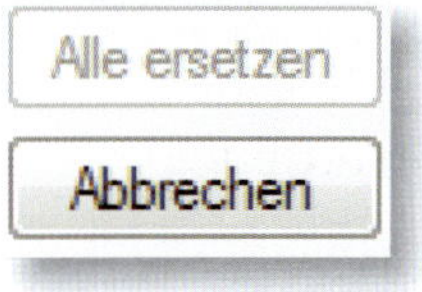

Deaktivierte (oben) und reguläre (unten) Schaltfläche.

- **Einige Schaltflächen haben ein besonderes Symbol in Form eines Schutzschildes vor dem Beschreibungstext. Für diese Schaltfläche benötigen Sie Administratorrechte (d. h. Sie müssen das Administratorpasswort kennen), da diese Funktionen besonders wichtig sind.**

- ***Texteingabefelder*** **sind meist einzeilig, können jedoch manchmal auch mehrere Zeilen umfassen oder – wie bspw. beim Editor oder einer Textverarbeitung – nahezu das ganze Fenster ausfüllen. Bei Anwendungen, die speziell für Vista entwickelt wurden, enthalten sie oft auch einen beschreibenden Text oder ein Symbol, das nach dem Anklicken des Feldes verschwindet:**

Einzeiliges Textfeld mit Funktionsbeschreibung.

In mehrzeiligen Textfeldern können Sie mit Hilfe der *Pfeil*-Tasten die Texteingabemarke bewegen.

Mehrzeiliges Textfeld.

Generell erkennen Sie ein aktiviertes Eingabefeld an einer blinkenden *Texteingabemarke* (Cursor) und einem farbigen Rahmen. Dass es sich um ein Textfeld handelt, zeigt Ihnen auch der Mauszeiger an, wenn er sich darüber befindet.

- **In der Zeile unterhalb der Titelleiste finden Sie verschiedene *Menü*punkte. Wenn Sie einen dieser Punkte anklicken, klappt das Menü nach unten auf und Sie können die gewünschte Funktion auswählen. In vielen Fällen zeigen Pfeile am rechten Rand weitere *Untermenüs* an, die nach rechts aufklappen.**

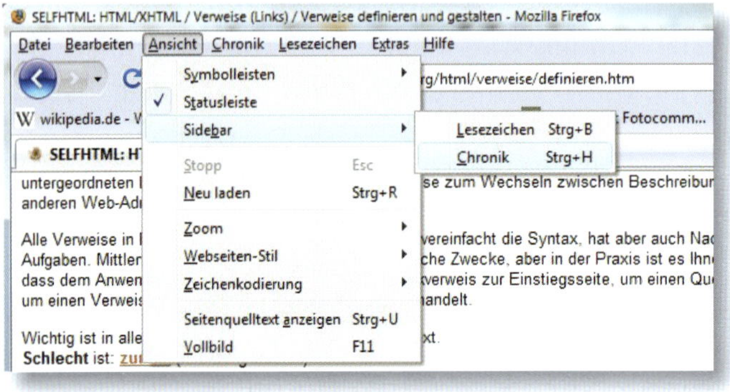

Aktivierter Menüpunkt „Ansicht“ mit geöffnetem Untermenü.

Aktiviert werden die Menüpunkte durch einen einfachen Klick mit der linken Maustaste.

- **Eine *Liste* ist eine Auflistung von Einträgen, in der mit den *Pfeil*-Tasten navigiert werden kann. Normalerweise ist ein Eintrag aktiviert. Manchmal können auch mehrere Einträge markiert werden.**

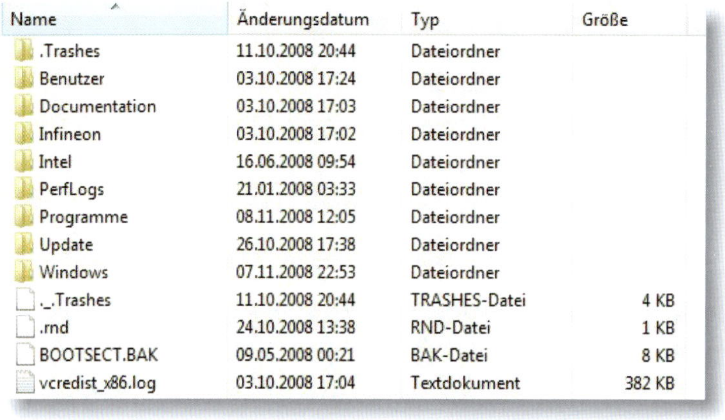

Eine Liste im Windows Explorer.

Im obigen Beispiel hat die Liste mehrere Spalten, über den Spalten steht der Spaltentitel. Nach einem Klick auf den Titel können Sie in dieser Spalte sortieren: Durch einen erneuten Klick ändert sich die Sortierrichtung. Manchmal treten Listen auch in Form von Feldern auf, d. h. es werden Symbole von links nach rechts und von oben nach unten angeordnet.

- ***Optionsfelder* sind Felder, in denen nur eine Option ausgewählt werden kann, und zwar durch einen einfachen linken Mausklick. Hier ein Beispiel für ein Optionsfeld:**

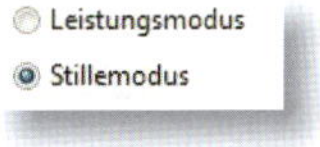

- **In *Checkboxen* oder *Ankreuzfeldern* können die Einträge unabhängig voneinander markiert werden.**

Unmarkierte und markierte Checkbox.

- ***Bildlaufleisten*** **(auch *Scroll-Leisten* genannt) sind vertikale oder horizontale Leisten, die immer dann erscheinen, wenn der sichtbare Bereich nur ein Ausschnitt des Gesamtbereichs ist. Im folgenden Bild etwa ist der Gesamttext länger als der angezeigte Textausschnitt.**

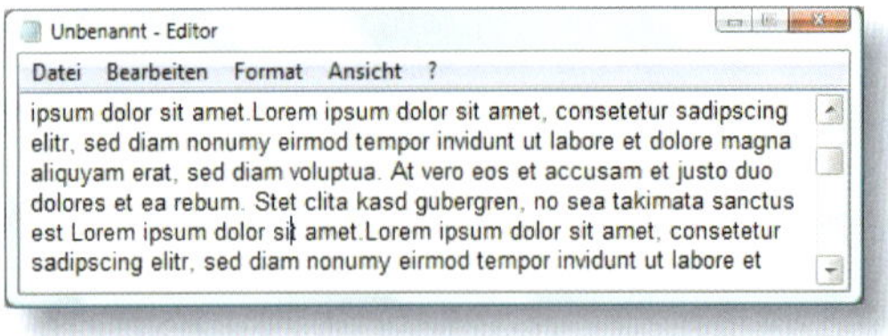

Hier befindet sich mehr als der sichtbare Text im Editor.

Die Bildlaufleisten bestehen aus zwei Pfeilen, die durch Anklicken den sichtbaren Bereich in die entsprechende Richtung verschieben. Die Position wird dabei durch den ***Block*** zwischen den Pfeilen angezeigt. Um schneller zu einer Position zu gelangen, können Sie den Block auch direkt mit der Maus dorthin ziehen. Sie können auch zwischen die Pfeile und den Block klicken, dann verschiebt sich der Block ebenfalls schneller.

2.6 Windows Vista Hilfe

Eine der vielen Neuerungen von Windows Vista ist eine stark verbesserte Hilfefunktion, die Antworten auf viele Fragen bietet und umfangreicher und spezifischer auf auftretende Probleme eingehen kann, als dies einem Buch möglich wäre. Wenn selbst die Hilfefunktion keine Lösung anbietet, können Sie über das Internet direkt bei Microsoft suchen.

!

TIPP Mit der *Funktionstaste F1* können Sie immer die Hilfefunktion aufrufen, die dann gleich mit nützlichen Informationen zum aktuellen Programm, Objekt oder zu einer aktuellen System-Meldung startet. Wenn etwas Ungewohntes auftritt oder Sie eine unbekannte Meldung erhalten, rufen Sie ruhig erst einmal die Hilfe auf, bevor Sie sich für eine Aktion entscheiden.

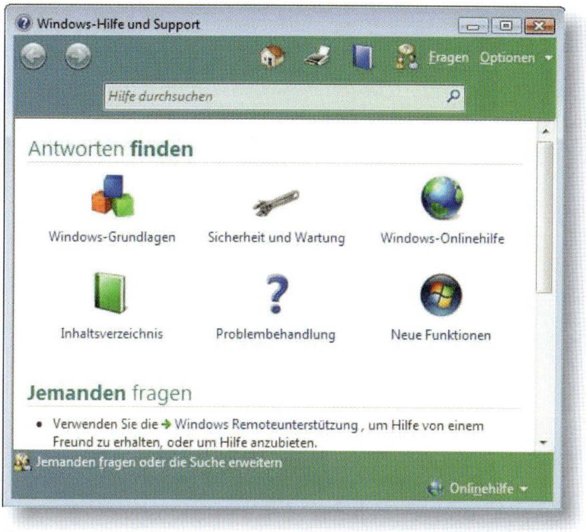

Das Windows-Hilfe-und-Support-Fenster.

Um ***Windows-Hilfe und Support*** aufzurufen, klicken Sie auf ***Start > Hilfe und Support*** oder drücken Sie einfach die Taste ***F1***. Im Hilfefenster finden Sie dann eine Übersicht der wichtigsten Themen.

Die Verlauf-Pfeile links oben bringen Sie zurück zur zuletzt betrachteten Seite, ein Klick auf das Haus-Symbol bringt Sie wieder zur Startseite.

Klicken Sie auf das Symbol einer *Hilfekategorie,* um sich eine Inhaltsübersicht zu diesem Thema anzeigen zu lassen, z. B. zu den Windows-Grundlagen. In der nun angezeigten Übersichtsliste können Sie nach unten scrollen, um alle Unterpunkte zu sehen, und durch einen Klick auf ein interessantes Thema eine ausführliche Beschreibung aufrufen.

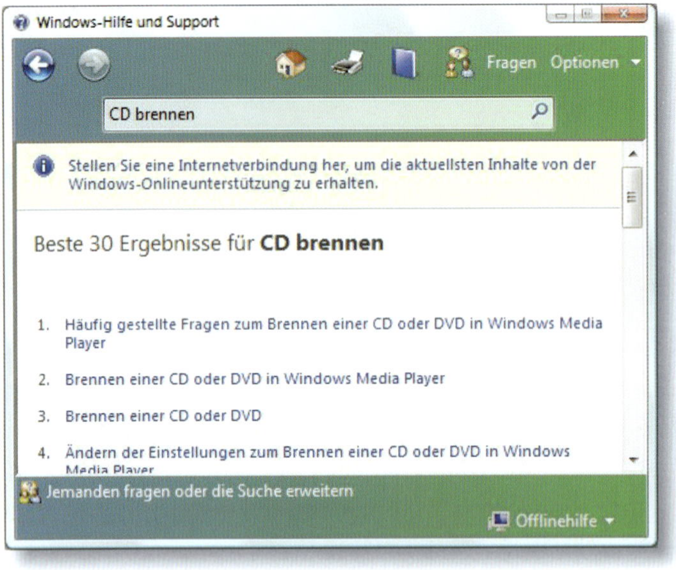

Falls Sie schon genau wissen, über was Sie sich informieren wollen, geben Sie im Texteingabefeld *Hilfe durchsuchen* einfach das gewünschte Thema ein, z. B. *CD brennen*. Sie erhalten dann eine Liste der Ergebnisse.

Wenn Sie in der Hilfe keine Antworten auf Ihre Frage gefunden haben, finden Sie automatisch im Internet weitere Hilfeangebote, indem Sie auf *Jemanden fragen oder die Suche erweitern* klicken. So erhalten Sie immer die aktuellsten Tipps. Auch die Seiten mit weiteren Informationen direkt vom Hersteller Ihres Computers sind hier eingetragen.

3 Dateien, Ordner und der Windows Explorer

3.1 Dateien

Sicher haben Sie schon einmal gehört, dass in einem Computer alle Informationen als 0 und 1 abgespeichert sind. Für ihn sind eine Aufnahme von Beethovens Neunter ebenso wie ein Digitalfoto der Mona Lisa lediglich eine unendlich lange Folge aus 0 und 1. Sie als Benutzer können im Gegensatz zum Computer nicht viel mit Nullen und Einsen anfangen, dafür umso mehr mit Bildern, Texten und Musik. Das Bindeglied zwischen diesen beiden Welten sind die ***Dateien***.

Bildlich gesprochen packen Dateien eine Menge an Daten (die Nullen und Einsen) zusammen und sagen dem Computer, um welche Art von Daten es sich handelt.

Neben dem eigentlichen Inhalt enthält eine Datei meist noch einige zusätzliche Details (wie Autor, Erstellungsdatum), die so genannten Metadaten. Für Sie als Nutzer ist jedoch etwas anderes wesentlich wichtiger: der Dateiname.

Der ***Dateiname*** besteht aus zwei Teilen: Den vorderen dürfen Sie frei wählen, der hintere bestimmt die Art der Datei. Zunächst einige Beispiele:

Brief an Thomas.txt
Rechnung_20091205.xls
1231234.jpg
beethovensNEUNTE.mp3

Zwei Dinge fallen auf: Der erste Teil bis zum Punkt scheint relativ beliebig zu sein, alles scheint erlaubt. Der hintere Teil ist offenbar immer durch einen Punkt abgetrennt und exakt drei Zeichen lang.

Während die zweite Beobachtung richtig ist, stimmt die erste nicht ganz: Dateinamen dürfen alle bis auf die folgenden von Windows reservierten Zeichen enthalten: \ / : ? * " < > |

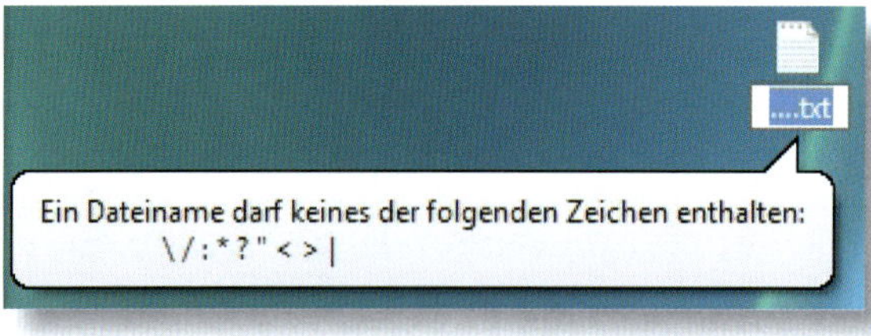

Diese Zeichen werden von Windows für eigene Zwecke verwendet und dürfen daher nicht in Namen vorkommen. Wenn Sie dennoch versuchen, sie in einem Dateinamen zu verwenden, erhalten Sie obige Fehlermeldung.

Ebenso muss der Name der Datei eindeutig sein. Es darf innerhalb eines Ordners keine zwei Dateien mit gleichem Namen geben (mehr hierzu im Kapitel ***Ordner***). Die ***Länge*** des Namens ist kaum beschränkt, er muss lediglich kürzer als 255 Zeichen sein. Leerzeichen und Umlaute sind erlaubt, Ihrer Fantasie sind also kaum Grenzen gesetzt.

> **!** **TIPP Nicht jeder mögliche Dateiname ist auch sinnvoll. Der Zweck von Dateinamen ist es, Ihnen (und anderen) dabei zu helfen, sich schnell über den Inhalt einer Datei klar zu werden. Während bspw. der Name** *Foto_Ulrike_Mai_2008* **Rückschlüsse auf den Inhalt zulässt, wissen Sie vermutlich bei** *ggg123* **bald nicht mehr, um was es sich handelt. Auch ist ein Datum im Dateinamen zu empfehlen. Denn was machen Sie, wenn** *Text_aktuell* **auf einmal nicht mehr aktuell ist?**

Der zweite Teil des Dateinamens – derjenige nach dem Punkt – wird ***Dateiendung***, Suffix oder manchmal auch ***Dateinamen-Erwei-***

terung genannt und bestimmt die Art der Datei, den ***Dateityp***. Die Dateiendung ist unter Windows fast immer drei Zeichen lang. Sie wird Ihnen meist vom Programm vorgegeben; geben Sie keine Endung an, fügt das Programm diese selbst an. Da die Dateiendung den Typ der Datei bestimmt, bestimmt sie auch das Symbol, das Windows für eine Datei anzeigt. Ändern Sie bei einer Datei die Endung .txt in .mp3, so sehen Sie statt dem Text-Symbol auf einmal ein Musik-Symbol. Allerdings kann Windows die Datei dann nicht mehr öffnen, schließlich ist der Inhalt ein Text, aber die Dateiendung behauptet, es würde sich um eine Musikdatei handeln – das passt nicht zusammen.

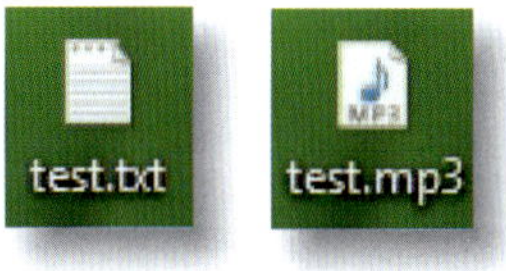

Hier eine kurze Übersicht der wichtigsten Dateitypen:

Datei-Endung	*Datei-Typ*	*Zugeordnetes Programm*
.txt	Text	Windows-Editor
.doc	Formatierter Text	Microsoft Word
.mp3	Audiodatei	Windows Media Player
.jpg	Bilddatei	Windows Fotogalerie
.mpg	Videodatei	Windows Media Player
.htm	HTML-Datei	Internet Explorer
.pdf	PDF-Datei	Adobe Reader
.exe	Anwendung	-

Wie Sie sehen, liefert Windows für die meisten Dateiarten schon ein passendes Programm für die Bearbeitung mit. Für andere Dateitypen können Sie weitere Anwendungen (wie etwa den oben erwähnten ***Adobe Reader***) erwerben oder teilweise auch kostenlos aus dem Internet beziehen. Wenn ein ***Dateityp unbekannt*** ist, zeigt Ihnen Vista folgenden Dialog:

Wenn Sie über eine Internetverbindung verfügen, können Sie direkt auf ***OK*** klicken und erhalten Vorschläge, mit welchen Programmen Sie unbekannte Dateien öffnen und woher Sie diese Anwendungen beziehen können.

3.2 Ordner

Moderne Computer mit Windows Vista haben enorme Speichermöglichkeiten. Sie können auf ihnen nahezu unbegrenzte Mengen an Briefen, Fotos und komprimierter Musik ablegen. Zusätzlich zu Ihren Dateien bringt Windows Vista zusammen mit einigen Anwendungen noch einmal ca. 50.000 Dateien mit. Bei dieser Menge an Dateien wird Ihr Desktop (Ihr „Schreibtisch“) schnell „zugemüllt“ sein – d. h. Sie finden gar nichts mehr, selbst wenn Sie zuvor sinnvolle Dateinamen vergeben haben. Hier schaffen Ordner wieder Übersicht.

Das Ordner-Symbol in Windows Vista.

Neben den Dateien besteht das ***Dateisystem*** von Computern aus ***Ordnern*** bzw. ***Verzeichnissen***. Stellen Sie sich die Festplatte Ihres Computers wie ein großes Dateilager vor, das zunächst keine Zwischenwände hat. Die Ordner schaffen nun Abteilungen in diesem Lager, in denen dann Dateien abgelegt werden können. Beispielsweise könnte einer dieser Bereiche „Rechnungen2009“ heißen. In diesen können nun beliebig viele Dateien abgelegt werden.

Für die ***Benennung von Ordnern*** gelten die gleichen Beschränkungen wie für Dateinamen: Die Länge des Ordnernamens darf 255 Zeichen nicht überschreiten und die Zeichen \ / : ? * " < > | dürfen nicht verwendet werden. Im Gegensatz zu Dateien besitzen Ordner keine Dateiendung. Sie sind ja – bildlich gesprochen – lediglich Abteilungen im Lager, gehören also selbst keinem bestimmten Dateityp an.

Ordner haben noch einige weitere Eigenschaften: Zum einen kann man in einen Ordner nahezu beliebig viele Dateien kopieren. Er wird einfach mitwachsen. Zumindest tut er das so lange, bis der Datenträger, auf dem er gespeichert ist, voll ist – genauso wie sich die Abteilung im Lager beliebig vergrößern lässt, bis das Lager voll ist.

Zudem kann man in einem Ordner andere Ordner anlegen oder auch andere Ordner hineinkopieren. Diese Ordner werden als ***Unterordner*** bezeichnet. Man kann ja auch in einem Lager innerhalb einer Abteilung weitere kleinere Abteilungen abtrennen. Innerhalb des Ordners ***Rechnungen2009*** können Sie das mit den Unterordnern Januar, Februar, ..., Dezember tun. Betrachten Sie folgendes Beispiel:

- Meine Ordner
  - Briefe
    - 2007
    - 2008
    - 2009
  - Rechnungen
    - 2007
    - 2008
    - 2009

Offensichtlich kommen hier die Unterordnernamen 2007, 2008 und 2009 doppelt vor. Wie kann dies möglich sein, ein Ordnername darf doch ebenso wie ein Dateiname nur einmal vorkommen, muss also ***eindeutig*** sein? Dies ist möglich, da sich die Unterordner 2007, 2008 und 2009 in verschiedenen übergeordneten Ordnern befinden: die einen in ***Rechnungen***, die anderen in ***Briefe***.

Um dies verständlicher zu machen, kann man solche Ordnerstrukturen als ***Pfadangaben*** aufschreiben, beispielsweise durch einen Schrägstrich getrennt als

Dokumente\Meine Ordner\Rechnungen\2009
Dokumente\Meine Ordner\Briefe\2009

Und genau so macht das auch der Windows Explorer. Mit ihm können Sie alles, was mit Dateien zu tun hat, erledigen. Genaueres erfahren Sie im Kapitel „Windows Explorer“.

3.3 Laufwerke

Als Letztes betrachten wir nun noch ***Laufwerke***. In unserem obigen Bild entspricht das gesamte Lager mit den Abteilungen (= Ordnern) und den dort abgelegten Dateien einem Laufwerk.

Tatsächlich können Laufwerke verschiedene Formen und unterschiedliche Vor- und Nachteile besitzen.

Typ	*Kapazität [GB]*	*Vor- und Nachteile*
Festplatte	50-1.000	Schnell, relativ günstig, große Kapazität, aber relativ empfindlich
SSD	32-128	Sehr schnell, sehr teuer, große Kapazität, unempfindlich
DVD	4-9	Langsam, sehr günstig, mittlere Kapazität
CD	0,7	Langsam, sehr günstig, geringe Kapazität
USB-Stick, SD-Karten	2-32	Mittlere Geschwindigkeit, mittlere Kapazität, unempfindlich
Disketten	0,0014	Langsam, sehr geringe Kapazität, teuer (je GB)

!

TIPP Die Kapazität ist hier in *Gigabyte* (abgekürzt GB) angegeben. Ein Gigabyte sind etwa 1.000.000.000 Zeichen unformatierter Text, etwa 1.000 Minuten komprimierte Musik, etwa 1.000 Fotos oder viele Stunden Video. Eine moderne Festplatte kann bis zu 1.000 Gigabyte fassen.

Bei dieser Aufstellung fällt auf, dass beispielsweise eine Festplatte direkt im Computer verwendet wird, während eine DVD, CD oder Diskette nur mit dem entsprechenden Laufwerk genutzt werden kann. Man unterscheidet daher ***permanent installierte Laufwerke*** (wie die Hauptfestplatte) und ***Laufwerke mit Wechselmedien*** und ***Wechsel(fest)platten*** (wie Disketten, die auch bei laufendem Computer ausgetauscht werden können) .

Früher hatten Laufwerke noch keine allzu hohe ***Kapazität***, ihr Speicherplatz war eng begrenzt. Ein physisches Laufwerk wurde daher im Betriebssystem auch als ein einziges Laufwerk abgebildet. Aufgrund der enormen Größe moderner Festplatten werden diese jetzt in sog. ***Partitionen*** unterteilt, die sich für Windows wie getrennte Laufwerke verhalten, sich tatsächlich aber auf einem einzigen physischen Laufwerk befinden.

In Windows Vista wird – wie in allen Vorgängerversionen – ein Laufwerk stets durch einen eindeutigen ***Laufwerksbuchstaben*** identifiziert. Traditionell ist das Laufwerk A das 3,5"-Diskettenlaufwerk, B das 5,25"-Diskettenlaufwerk und C die erste Festplatte. Das Laufwerk C ist in der Regel die ***Systemfestplatte*** (also die Festplatte bzw. Partition, auf der das Betriebssystem installiert ist). Ebenso sind alle weiteren Laufwerke Ihres Computers (CD/DVD-Laufwerk, USB-Sticks, Kartenleser etc.) einem Buchstaben zugeordnet. Welcher das ist, wird bei der Installation von Windows automatisch festgelegt. Der Buchstabe wird dann für alle zukünftigen Starts beibehalten.

Auf den Laufwerken befinden sich nun die Ordner und Dateien. Um eine Datei eindeutig zu bezeichnen, muss deren vollständiger Pfad angegeben werden. Dieser beginnt mit dem Laufwerksbuchstaben, gefolgt von den Trennzeichen :\ und dem Ordnerbaum. Der ***vollständige Pfad*** lautet dann

C:\Nutzer1\Dokumente\Meine Ordner\Rechnungen\2009

Schließlich gibt es in Netzwerken noch so genannte ***Netzlaufwerke***. Diese Laufwerke befinden sich zwar eigentlich in einem Netzwerk, mit dem Ihr Computer verbunden ist. Wenn Sie diese in Windows als Netzlaufwerke angeben, verhalten sie sich aber, als ob sie direkt in Ihren Computer eingebaut wären.

Im nächsten Kapitel werden nun endlich diese theoretischen Kenntnisse praktisch angewendet und Sie werden mit Laufwerken, Ordnern und Dateien umgehen.

3.4 Windows Explorer

3.4.1 Windows-Explorer-Fenster

Der Windows Explorer (Explorer = engl. „Erforscher") wurde zum Navigieren in Ihren Ordnern und Dateien entwickelt – dafür sind alle seine Funktionen da.

Vielleicht fragen Sie sich, wozu Sie ein eigenes Programm für Dateien und Ordner brauchen, da diese ja „von selbst" entstehen, wenn Sie mit anderen Programmen arbeiten? Sie werden schnell feststellen, dass der ***Windows Explorer*** eines Ihrer am öftesten verwendeten Programme ist. Denn egal ob Sie Fotos von Ihrer Kamera kopieren, Ihre Briefe auf Disketten oder USB-Stick verschieben oder Dateien suchen, der Explorer hilft Ihnen dabei.

Den Windows Explorer erreichen Sie über ***Start > Alle Programme > Zubehör > Windows Explorer*** oder wesentlich schneller über das Kürzel ***Windows***-Taste + ***E***. Auch ein Doppelklick auf das Desktop-Symbol Computer öffnet ihn.

> **!** **TIPP** **Der Windows Explorer sieht auf den ersten Blick kompliziert aus. Tatsächlich kennen Sie aber die Einzelteile bereits aus den vorangegangenen Kapiteln, und Teile des Explorers werden Ihnen auch in anderen Programmen wieder begegnen.**

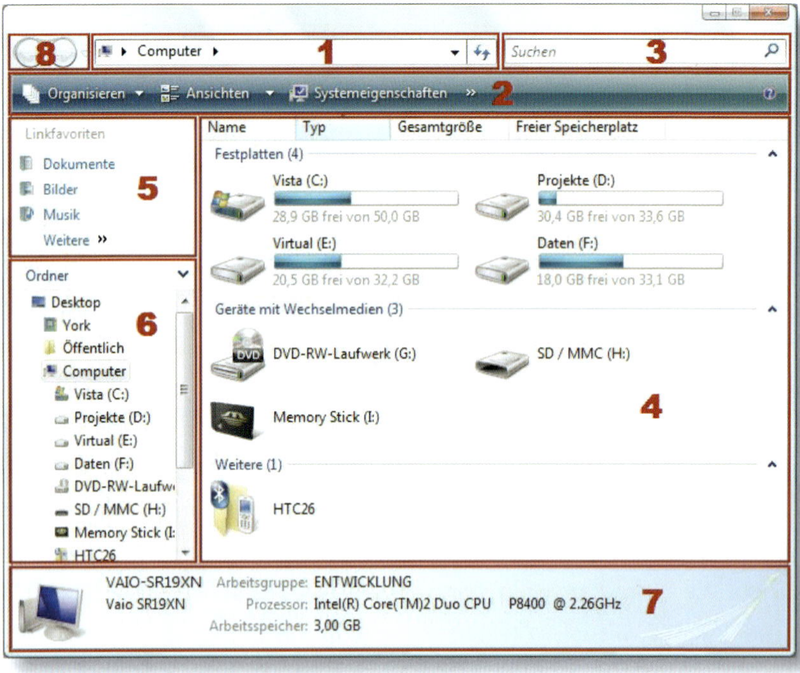

Der Windows Explorer ist Ihr Universalwerkzeug im Umgang mit Ordnern und Dateien.

❶ Die *Pfadleiste* zeigt an, wo Sie sich gerade in der Ordnerstruktur befinden. *Computer* ist dabei immer Ihr Startpunkt, hierarchisch darüber liegt bei Windows nur der Desktop. Die einzelnen Ebenen sehen Sie durch Pfeile getrennt dargestellt. Um schnell von einem Unterordner zu einem übergeordneten Ordner zu gelangen, klicken Sie den übergeordneten Ordner einfach in der Adressleiste an. Wenn Sie an eine freie Stelle in der Leiste klicken, verwandelt sie sich in ein Texteingabefeld im Pfadangaben-Format und Sie können direkt Eingaben machen.

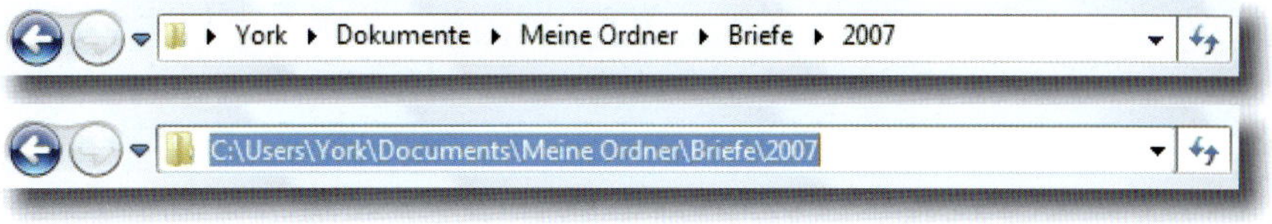

Die beiden Pfeile links neben dem Feld sind wie im Windows-Hilfe-Fenster Verlaufspfeile, mit denen Sie zwischen bereits besuchten Ordnern wechseln können. Der Pfeil nach unten klappt eine Liste der besuchten Ordner aus. Das Symbol rechts schließlich aktualisiert die Ansicht des angezeigten Ordnerinhalts.

2 Die *Aktionenleiste* enthält verschiedene Optionen, je nachdem, auf welcher Ebene Sie sich befinden. Werden etwa Ordner und Dateien angezeigt, so finden Sie hier eine Option *Brennen*, um ausgewählte Ordner/ Dateien auf eine CD zu schreiben. Eine der wichtigsten Einstellmöglichkeiten ist der Punkt *Ansichten*. Wenn Sie ihn anklicken, öffnet sich ein neues Menü. Hier können Sie auswählen, auf welche Weise der Inhalt des *Hauptanzeigebereichs (4)* dargestellt werden soll. Die Möglichkeiten sind hier aufgeführt:

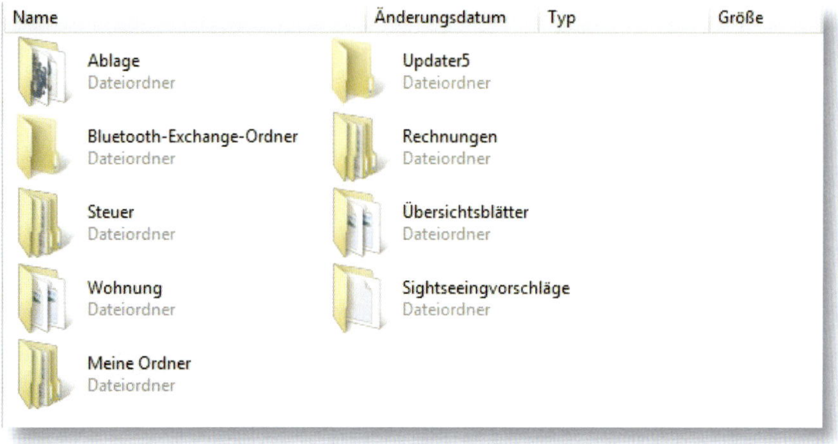

Ansicht „Kacheln“: Inhaltsvorschau und Unterordner.

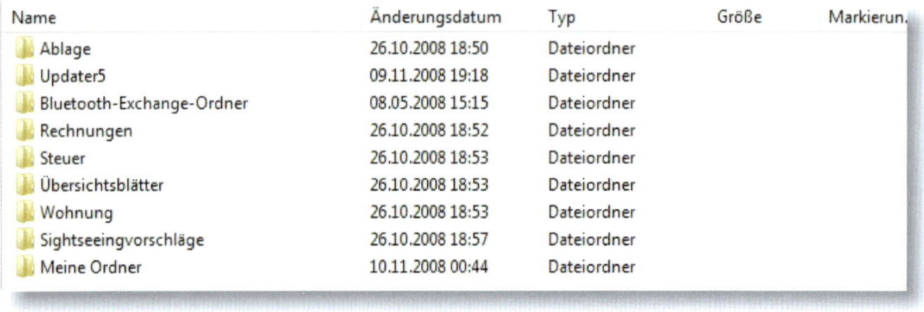

Name	Änderungsdatum	Typ	Größe	Markierun...
Ablage	26.10.2008 18:50	Dateiordner		
Updater5	09.11.2008 19:18	Dateiordner		
Bluetooth-Exchange-Ordner	08.05.2008 15:15	Dateiordner		
Rechnungen	26.10.2008 18:52	Dateiordner		
Steuer	26.10.2008 18:53	Dateiordner		
Übersichtsblätter	26.10.2008 18:53	Dateiordner		
Wohnung	26.10.2008 18:53	Dateiordner		
Sightseeingvorschläge	26.10.2008 18:57	Dateiordner		
Meine Ordner	10.11.2008 00:44	Dateiordner		

Ansicht „Details“: Datum, Typ und (bei Dateien) Größe.

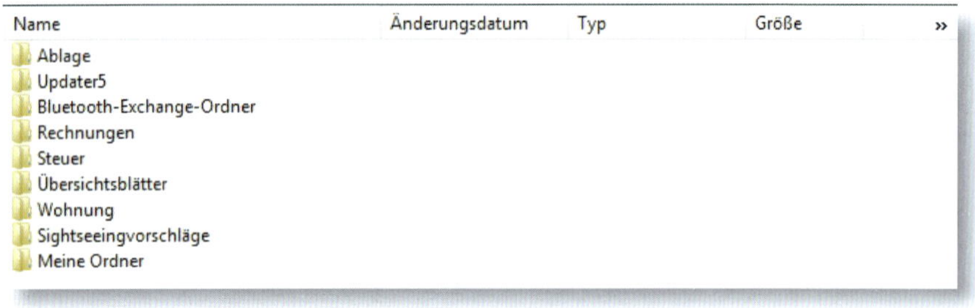

Ansicht „Liste“: nur Symbole, untereinander aufgelistet.

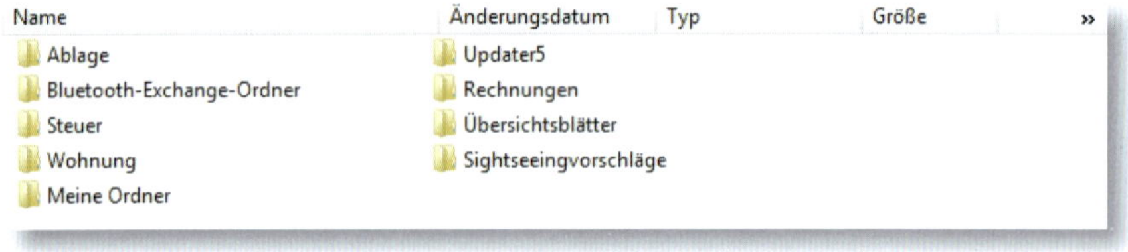

Ansicht „Kleinere Symbole“: Symbolgröße wie in der Listenansicht, ohne Inhaltsvorschau.

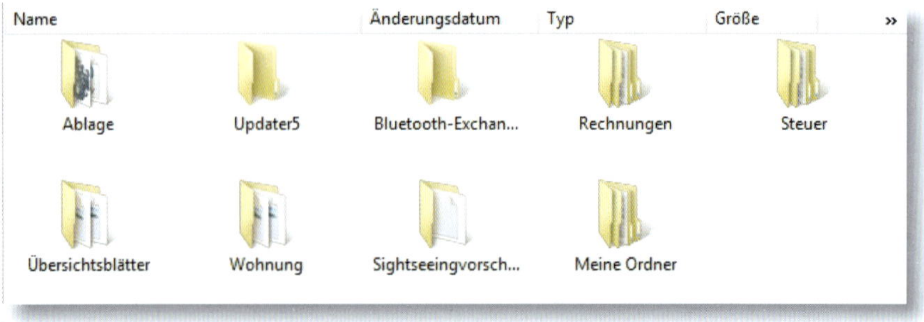

Ansicht „Mittlere Symbole“: Inhaltsvorschau und Unterordner.

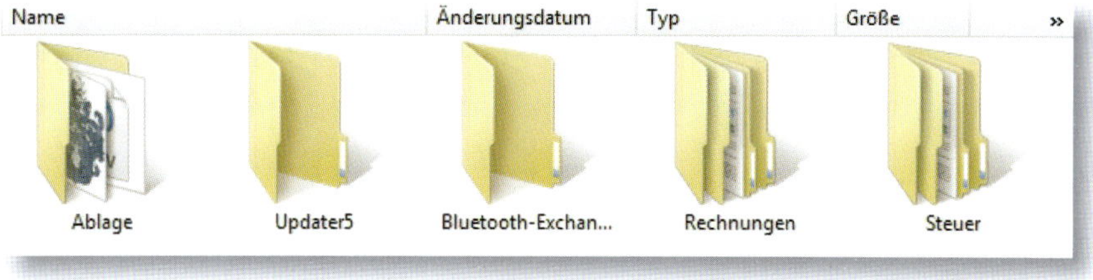

Ansicht „Große Symbole“: genauere Inhaltsvorschau und detaillierte Symbole.

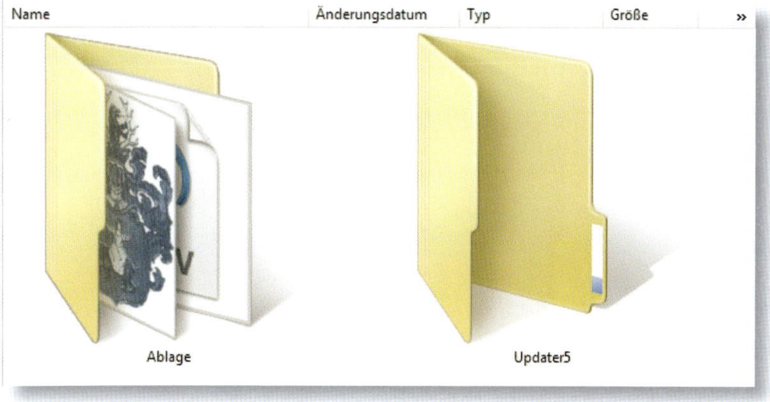

Ansicht „Extragroße Symbole“: sehr detaillierte Inhaltsvorschau und große Ordnersymbole.

> **!**
> **TIPP Je nach Aufgabe eigenen sich andere Ansichten am besten. Für normales Navigieren sind die Kachelansicht oder die Detailansicht mit mehr Informationen praktisch, für das Stöbern in Bildern empfehlen sich große Symbole.**

3 Das *Sucheingabefeld* funktioniert genauso wie im Hilfefenster und ermöglicht Ihnen nach dem Anklicken die Eingabe eines Suchbegriffs. Sie können hier Teile eines Dateinamens eingeben oder auch mit so genannten *Platzhaltern* suchen. Dabei steht der Stern * für eine Anzahl beliebiger Zeichen. So finden Sie alle Dateien, de-

ren Name mit „Brief" beginnt und mit „08" aufhört, wenn Sie nach Brief*08.* suchen. Ein weiterer Platzhalter ist das Fragezeichen ?, das für genau ein beliebiges Zeichen steht. Die Ergebnisse werden wieder im *Hauptanzeigebereich (4)* angezeigt. Das x im Sucheingabefeld schließt das Suchergebnis.

4 Im *Hauptanzeigebereich* des Windows Explorers finden Sie den Inhalt des aktuellen Ordners ebenso wie Listen mit Suchergebnissen oder die Laufwerke Ihres Computers. Nach dem Start des Explorers erhalten Sie hier zunächst eine Übersicht der Laufwerke und Geräte/Speichermedien, auf die Sie Zugriff haben.

Im obersten Abschnitt sind dabei die Festplatten (bzw. Partitionen) aufgelistet.

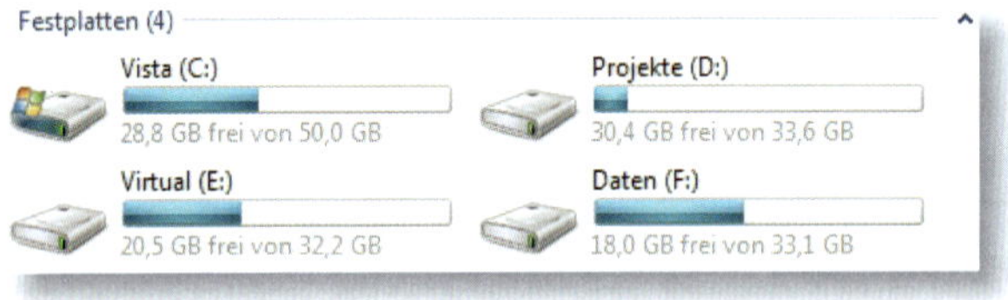

Der Anzeigebereich „Festplatten" nach dem Start des Explorers.

In unserem Fall sind vier Festplatten-Laufwerke für Vista zugänglich: Vista, Projekte, Virtual und Daten. Der jeweilige Laufwerksbuchstabe ist in Klammern angegeben (C:, D:, E:, F:). Das Symbol identifiziert die Laufwerke als Festplatten und Vista (C:) als Systemfestplatte, auf der Windows installiert ist. Weiter sehen Sie eine Balkenanzeige des belegten (blau) und noch freien (weiß) Speicherplatzes auf diesen Laufwerken.

Übersicht der Geräte mit Wechselmedien.

Im nächsten Abschnitt finden Sie die ***Geräte mit Wechselmedien***. In diesem Fall sind das ein CD/DVD-Brenner, ein SD/MMC-Kartenlesegerät und ein MemoryStick-Reader. Wenn in diesen Geräten ein Medium eingelegt ist, so wird hier ggf. auch dessen Name angezeigt. Im letzten Abschnitt finden Sie schließlich die ***Weiteren Geräte*** wie bspw. PDAs und Smartphones oder Audio-Player.

Die Navigation, die der Hauptanzeigebereich ermöglicht, soll anhand eines Beispiels erläutert werden. Sie möchten einen Brief in Ihrem ***Dokumente***-Ordner öffnen. Der ***Dokumente***-Ordner befindet sich auf dem gleichen Laufwerk wie Windows Vista, also C:. Klicken Sie daher zunächst doppelt auf das entsprechende Symbol.

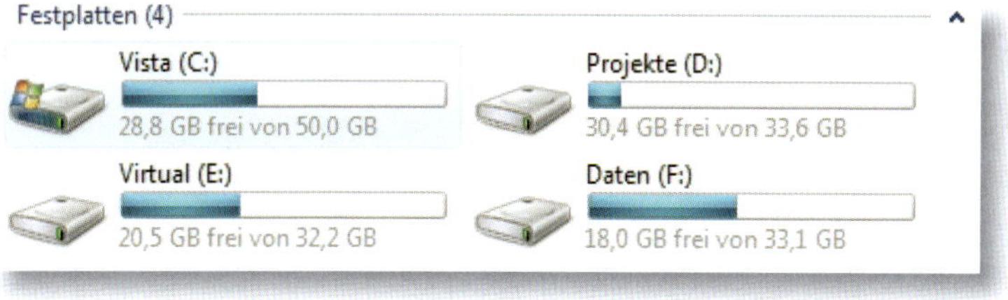

Eine Liste mit dem Inhalt der obersten Ebene des Laufwerks erscheint. Unser ***Dokumente***-Ordner ist ein Benutzer-Ordner (d. h. jeder Benutzer hat einen eigenen Ordner) und liegt daher im Unterordner ***Benutzer***, den Sie doppelt anklicken.

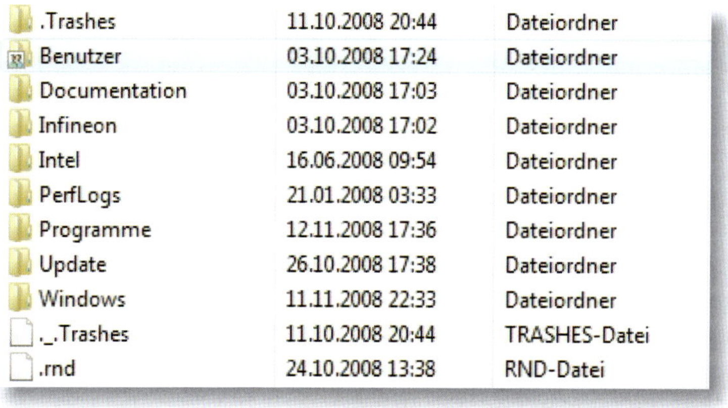

.Trashes	11.10.2008 20:44	Dateiordner
Benutzer	03.10.2008 17:24	Dateiordner
Documentation	03.10.2008 17:03	Dateiordner
Infineon	03.10.2008 17:02	Dateiordner
Intel	16.06.2008 09:54	Dateiordner
PerfLogs	21.01.2008 03:33	Dateiordner
Programme	12.11.2008 17:36	Dateiordner
Update	26.10.2008 17:38	Dateiordner
Windows	11.11.2008 22:33	Dateiordner
._.Trashes	11.10.2008 20:44	TRASHES-Datei
.rnd	24.10.2008 13:38	RND-Datei

Sie erhalten nun die Übersicht der Unterordner (für jeden Benutzer einen eigenen). Wählen Sie hier den Ordner mit Ihrem Benutzernamen durch doppeltes Anklicken aus, und Sie erhalten in etwa die folgende Ansicht:

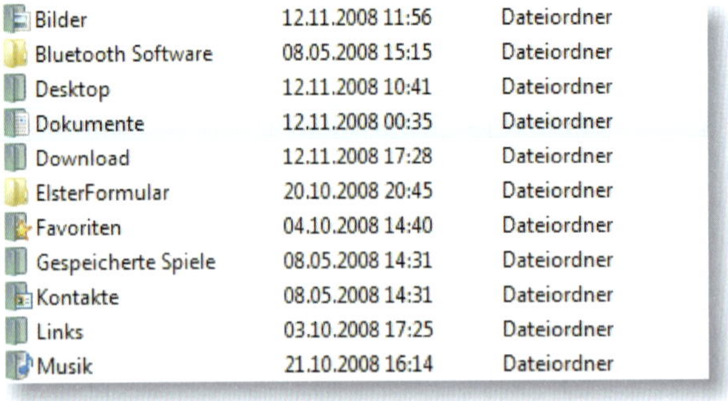

Jetzt sehen Sie Ihren *Dokumente*-Ordner und sind nach einem Doppelklick darauf am Ziel angelangt. Übrigens wird hier deutlich, dass es besondere Ordner gibt, die ein anderes hervorgehobenes Symbol haben, bspw. Bilder, Desktop, Dokumente, Download, Favoriten etc. Auf diese speziellen Ordner wird an vielen Stellen von Windows verwiesen, z. B. im Startmenü und an anderer Stelle im Explorer.

5 **Auch die im Bereich *Linkfavoriten* (eine unglückliche Übersetzung) angezeigten Einträge beziehen sich auf die gerade genannten besonderen Benutzer-Unterordner und bieten Ihnen eine Abkürzung dorthin. In dieser Auflistung befindet sich auch der Ordner *Dokumente*, sogar an erster Stelle. Um dorthin zu navigieren, hätte also auch ein einfacher Klick auf *Dokumente* in diesem Bereich genügt.**

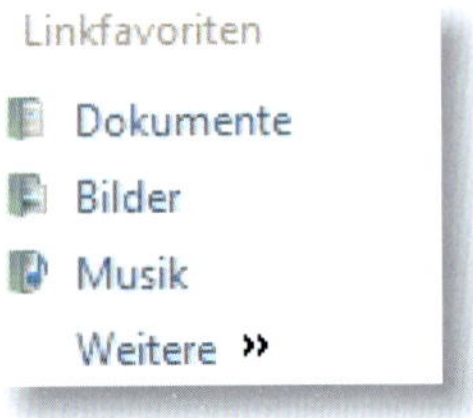

6 **Der Bereich *Ordner* zeigt eine vollständige hierarchische Liste (einen so genannten *Baum*) aller Ordner an, auf die Sie mit dem Explorer zugreifen können. Nach dem Start des Explorers befinden Sie sich beim Eintrag *Computer*. Dieser ist zusammen mit anderen Ordnern unterhalb des Punktes Desktop aufgehängt. Der Ordner ist „eingeklappt", was durch einen horizontalen Pfeil symbolisiert wird. Wenn Sie auf den Pfeil klicken, erscheinen die Unterpunkte. Durch nochmaliges Anklicken blenden Sie die Unterpunkte wieder aus.**

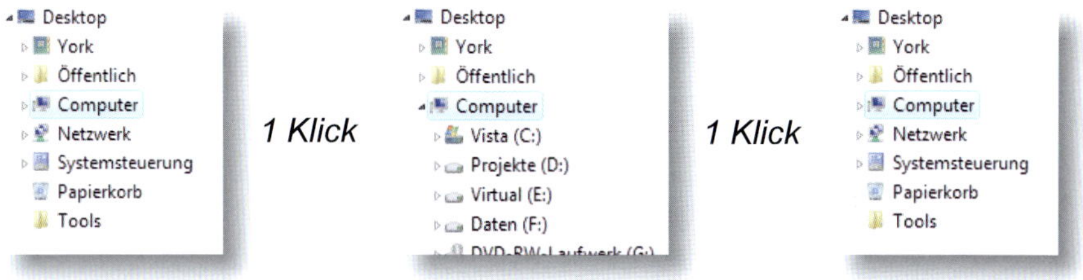

7 **Am unteren Ende des Explorer-Fensters finden Sie zum gerade ausgewählten Objekt weitere Informationen über den Inhalt des Ordners, die Ausstattung des Computers oder die Eigenschaften einer Datei:**

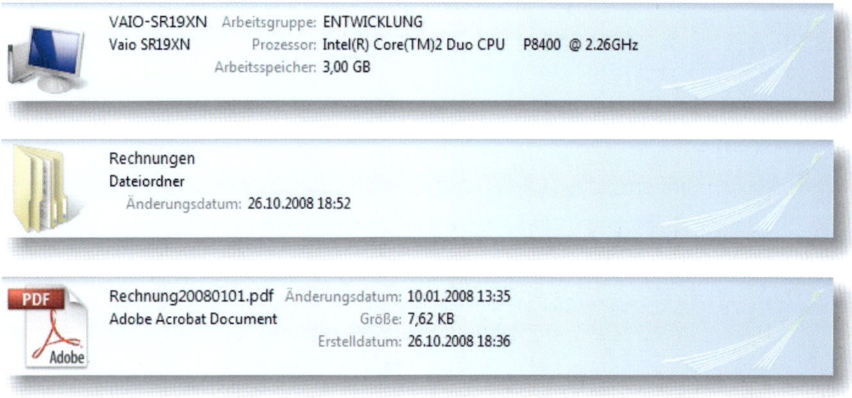

3.4.2 *Funktionen für Dateien und Ordner*

In diesem Kapitel geht es um den Umgang mit Dateien und Ordnern.

Zunächst lernen Sie das ***Anlegen von Ordnern*** am Beispiel des Ordners ***Rechnungen*** kennen. Dieser Ordner soll als Unterordner des Dokumenten-Ordners angelegt werden. Öffnen Sie zunächst den Explorer durch Doppelklick auf das Computer-Symbol und klicken Sie anschließend im Bereich ***Linkfavoriten*** auf den Link ***Dokumente***. Sie sehen nun in der Adressleiste den Pfad in der Form ***Benutzername > Dokumente*** angegeben, und im Anzeigebereich erscheinen die vorhandenen Ordner und Dateien. Klicken Sie nun mit der ***rechten Maustaste*** in den Anzeigebereich. Das ***Kontext-Menü*** erscheint, in dem Sie den Menüpunkt ***Neu*** finden.

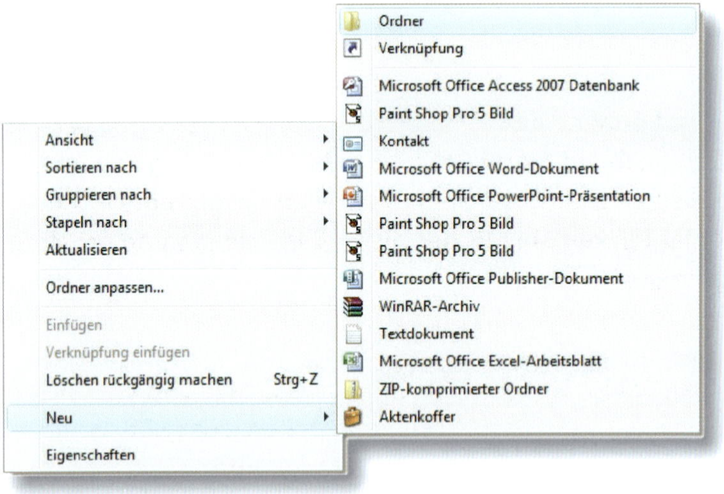

Wenn Sie mit dem Mauspfeil auf diesen Menüpunkt zeigen, erscheint das obige Untermenü mit einer Auswahl an Objekten. Wählen Sie den Punkt ***Ordner*** aus, und es wird ein ***Neuer Ordner*** in der Ordnerliste angezeigt.

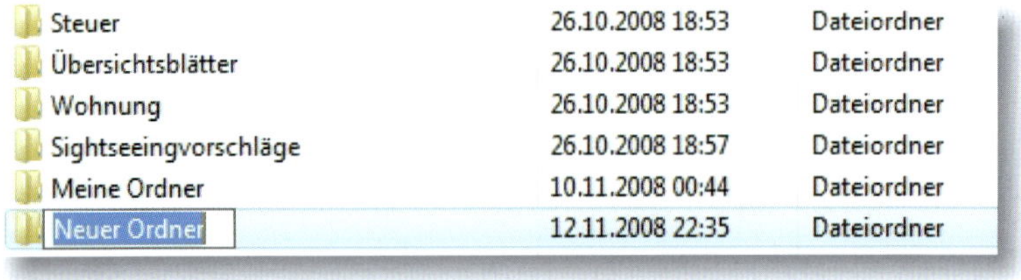

Geben Sie nun anstelle von „Neuer Ordner“ den gewünschten Namen des Ordners in das Texteingabefeld ein und bestätigen Sie diesen durch Drücken der ***Eingabetaste***.

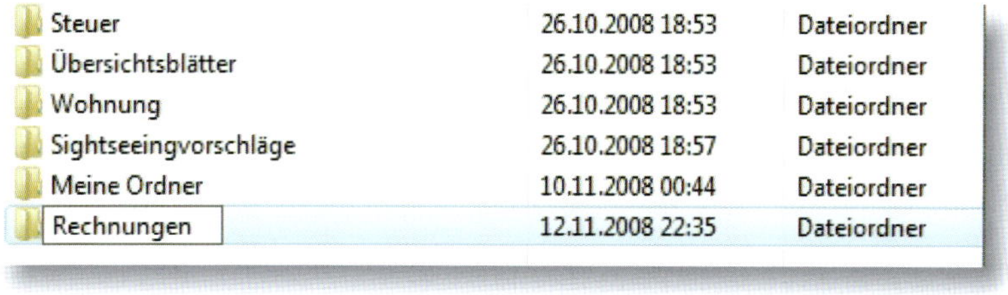

Sie haben erfolgreich einen Ordner angelegt, in den Sie nun Ihre Dateien speichern können!

> **!** **TIPP Sie können Ordner nicht nur mit dem Explorer anlegen, sondern auch auf dem Desktop und in den Dialogen zum Laden und Speichern, die Sie in fast allen Programmen finden. Auch hier klicken Sie mit der rechten Maustaste und erhalten das gezeigte Kontextmenü.**

Vielleicht stellen Sie später fest, dass Sie den Ordner doch besser ***Rechnungen2008*** hätten nennen sollen. Hier hilft Ihnen – bei Ordnern ebenso wie bei Dateien – die Funktion ***Umbenennen***, die ebenfalls im Kontext-Menü untergebracht ist. Klicken Sie diesmal ein Dateiobjekt (Laufwerk, Ordner, Datei) mit der rechten Maustaste an und wählen Sie ***Umbenennen*** aus.

Das Feld mit dem Namen des Objekts wird nun wieder aktiviert und Sie können den Namen verändern.

Wenn Sie sich anders entscheiden und den Namen doch nicht ändern möchten, drücken Sie die ***Escape***-Taste zum Abbrechen.

Auch das *Löschen* von Dateien und Ordnern ist über das Kontext-Menü möglich. Um den Ordner *Rechnungen2008* zu löschen, klicken Sie ihn erneut mit der rechten Maustaste an und wählen den Punkt *Löschen*.

Es erscheint eine Sicherheitsabfrage, ob Sie den Ordner (und alle enthaltenen Dateien) wirklich in den *Papierkorb* verschieben möchten.

Der Papierkorb ist ein spezieller Ordner, in den Objekte verschoben werden, bevor sie endgültig gelöscht werden. Objekte im Papierkorb können solange wieder hergestellt werden, bis Sie den Papierkorb leeren. Das Leeren geschieht im Kontextmenü des Papierkorbs über den Eintrag *Papierkorb leeren*. Erst dann sind die Objekte im Papierkorb unwiederbringlich gelöscht.

Nehmen wir an, dass Sie den Ordner *Rechnungen2008* gut gefüllt haben, und Sie möchten nun zur Sicherheit eine Kopie anlegen. Auch dies geschieht über das Kontextmenü. Klicken Sie mit der rechten Maustaste auf das zu kopierende Objekt (Datei oder Ordner) und wählen Sie im Kontextmenü *Kopieren*.

Das Menü verschwindet wieder, und es scheint nichts passiert zu sein. Tatsächlich hat sich der Windows Explorer jedoch gemerkt, welches Objekt Sie kopieren möchten. Gehen Sie nun zu der Stelle, an der Sie die vorherige Auswahl einfügen möchten (vielleicht ein Ordner namens *Sicherheitskopien*) und rufen Sie dort wieder das Kontext-Menü auf. Wählen Sie diesmal den Punkt *Einfügen*.

Schon wird Ihre vorher getroffene Auswahl an diesen Ort kopiert.

> **!** **TIPP Manchmal ist es praktisch, gleich mehrere Objekte zum Kopieren auszuwählen. Klicken Sie dazu im Anzeigebereich mehrere Objekte an, die sich auf einer Ebene befinden, und halten Sie dabei die *Strg*-Taste gedrückt. Wenn Sie anschließend das Kontextmenü aufrufen, so bezieht sich „Kopieren“ auf alle gewählten Objekte. Das gilt natürlich auch für „Ausschneiden“ etc.**

Es ist auch möglich, Dateien oder Ordner komplett an einen anderen Ort zu verschieben. Verwenden Sie hierzu ***Ausschneiden*** statt ***Kopieren***. Achtung: Wenn Sie die ausgeschnittenen Objekte am neuen Ort einfügen, werden diese automatisch vom vorherigen Speicherort entfernt!

Übrigens: Auch für die Dateien und Ordner können Sie die Tastaturkürzel verwenden und so bspw. mit *Strg+A* alle sichtbaren Objekte markieren und diese mit *Strg+C* kopieren.

Abschließend soll das Thema ***Verknüpfungen*** betrachtet werden. Sie haben nun schon ein gutes Gefühl für Dateien und Ordner bekommen und können sich diese vorstellen. Nun gibt es noch die Verknüpfung. Sie stellt eine Art Abkürzung oder Zeiger dar, die Sie direkt zum Verknüpfungsziel bringt. Ein Doppelklick auf die Verknüpfung bewirkt dasselbe, als ob Sie auf das Verknüpfungsziel selbst geklickt hätten, d. h. es kann ein Programm gestartet, ein Dokument geöffnet oder der Inhalt eines Ordners angezeigt werden. Im Gegensatz zur Kopie handelt es sich bei der Verknüpfung aber wirklich nur um einen Zeiger, der auf die Datei verweist. Löschen Sie das Ziel der Verknüpfung, so führt diese ins Leere und nützt Ihnen nichts mehr.

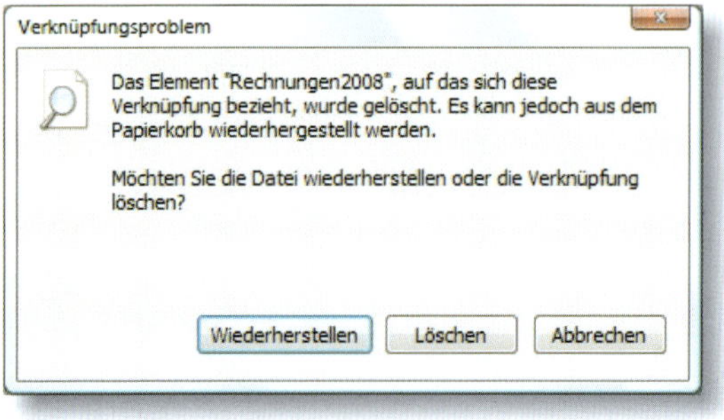

Meldung bei gelöschtem Verknüpfungsziel.

Was ist der Sinn einer Verknüpfung? Vielleicht wollen Sie nicht umständlich über den Explorer auf den Ordner mit Ihren Rechnungen zugreifen, sondern direkt auf dem Desktop ein Symbol dafür anlegen – dann ist eine Verknüpfung das richtige. Oder Sie möchten direkt vom Desktop aus auf ein installiertes Programm zugreifen? Auch das geht ganz einfach mit einer Verknüpfung.

Eine Verknüpfung anzulegen ist nicht schwieriger als das Kopieren von Dateien oder Ordnern. Gehen Sie zunächst im Windows Explorer zu dem Ordner, in dem das Ziel der Verknüpfung liegt. Rufen Sie das Kontextmenü des Verknüpfungsziels mit der rechten Maustaste auf und wählen Sie den Punkt ***Kopieren***.

Wollen Sie die Verknüpfung auf dem Desktop anlegen, so können Sie dort einfach an einer freien Stelle mit der rechten Maustaste klicken. Wählen Sie nun im Kontextmenü den Punkt ***Verknüpfung einfügen.***

Schon haben Sie eine Verknüpfung angelegt. Sie verwendet das gleiche Symbol wie das Ziel, ist aber durch einen kleinen Pfeil in der linken unteren Ecke als Verknüpfung erkennbar. Ebenso können Sie auch an nahezu beliebiger Stelle über den Windows Explorer eine Verknüpfung erstellen: Gehen Sie zum gewünschten Ort und wählen Sie dort ***Verknüpfung einfügen***.

4. Die Systemsteuerung

4.1 Aufruf der Systemsteuerung

Die Systemsteuerung von Windows ist Ihre Steuerungszentrale für fast alle Einstellungen des Betriebssystems. Egal ob es um das Entfernen von Programmen, das Anpassen des Hintergrundbildes oder der Fensterfarben oder um die Einrichtung von Netzwerken und Benutzerkonten geht, in der Systemsteuerung finden Sie alles, was Sie benötigen. Um die Systemsteuerung zu öffnen, wählen Sie *Start > Systemsteuerung* mit der linken Maustaste aus.

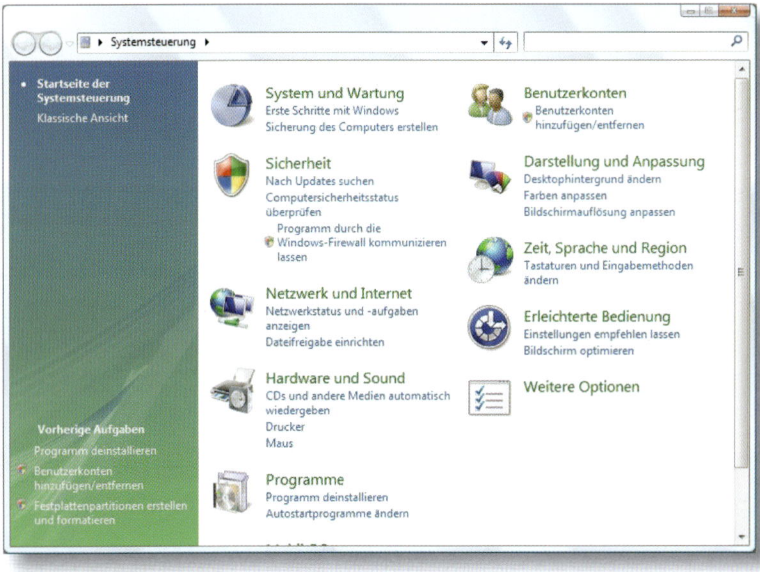

Die Startseite der Systemsteuerung mit den Kategorien der Einstellungsmöglichkeiten.

Auf der Startseite der Systemsteuerung finden sich die einzelnen Kategorien der Einstellungsmöglichkeiten. Sollten Sie früher mit Windows XP gearbeitet haben und sich an dessen Systemsteuerungsansicht gewöhnt haben, so können Sie diese auch unter

Vista weiterverwenden, indem Sie links oben auf *Klassische Ansicht* klicken.

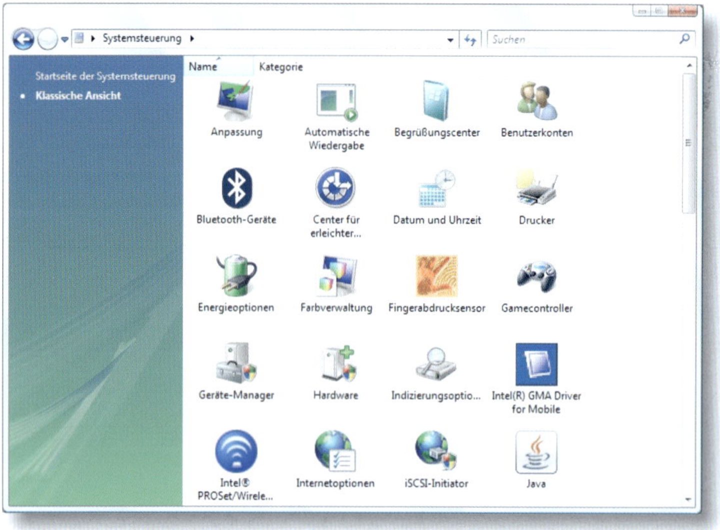

Die Klassische Ansicht der Systemsteuerung.

Während unter Vista die Systemsteuerung der Rangordnung nach gestaffelt (hierarchisch) dargestellt wird, zeigt die klassische Ansicht alle Einstellungsprogramme gleichberechtigt und komplett an. Im Folgenden wird von der neuen, hierarchischen Ansicht ausgegangen, da sie nach kurzer Eingewöhnung übersichtlicher ist.

Sollten Sie bei der Durchsicht der Kategorien noch zusätzliche Erläuterungen wünschen, positionieren Sie einfach den Mauszeiger über einem Kategorienamen:

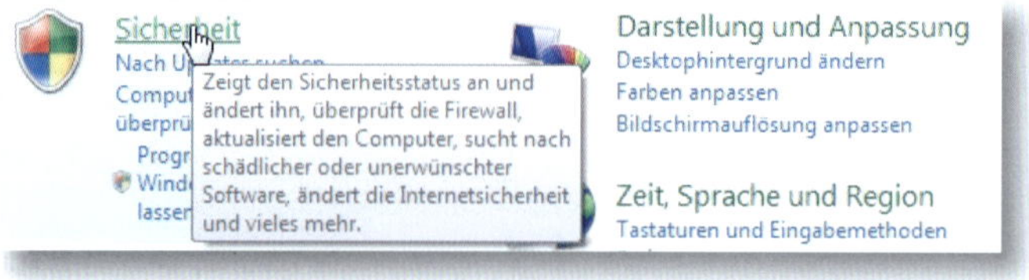

Kurze Hilfetexte erklären, was Sie in einer Kategorie finden.

> ! **TIPP Wenn Sie einmal nicht die richtige Kategorie finden sollten, hilft Ihnen das Sucheingabefeld rechts oben im Fenster. Geben Sie das gesuchte Thema ein und bestätigen Sie mit der *Eingabe*-Taste.**

4.2. Anpassung der Benutzeroberfläche

In diesem Kapitel erfahren Sie, wie Sie Windows Vista an Ihre Bedürfnisse anpassen („personalisieren“) können. Wählen Sie hierzu auf der Startseite der Systemsteuerung ***Darstellung und Anpassung*** aus.

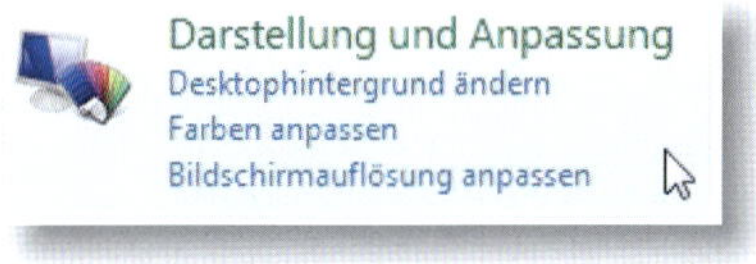

Auf der sich nun öffnenden Seite sind insbesondere die Punkte *Anpassung* und *Center für erleichterte Bedienung* interessant.

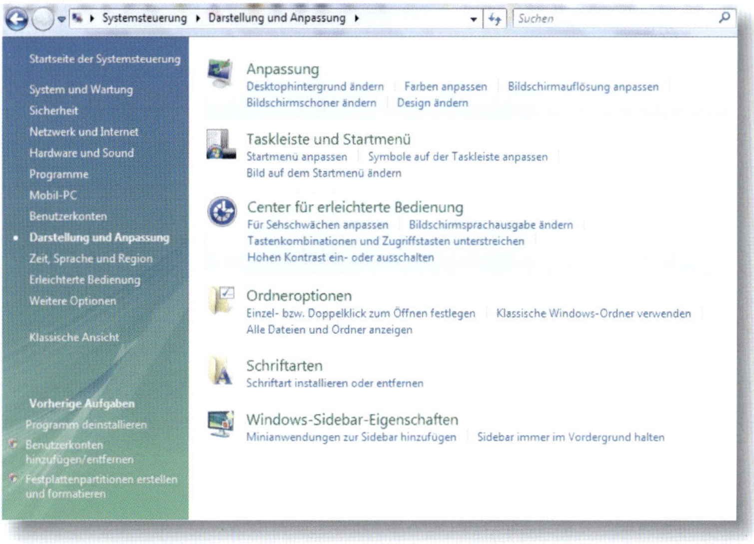

Wählen Sie erst einmal den Punkt *Anpassung* aus.

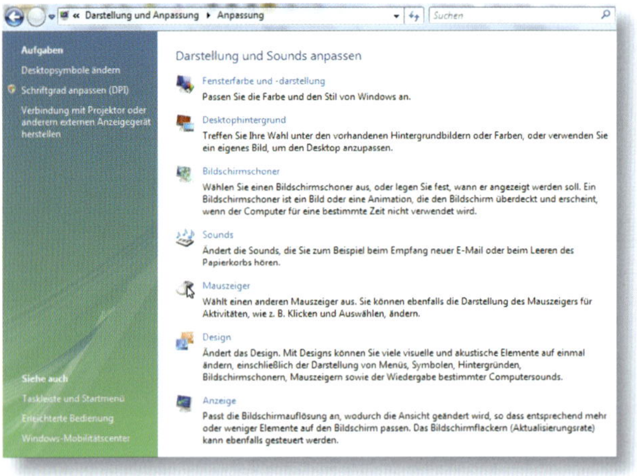

> **!**
> **TIPP Sie können diese Einstellungsseite auch erreichen, indem Sie auf dem Desktop mit der rechten Maustaste an eine freie Stelle klicken und *Anpassen* auswählen.**

Die folgenden Schritte stellen die wichtigsten Möglichkeiten dieser Einstellungsseite dar und helfen Ihnen, Vista optisch klarer zu gestalten.

4.2.1 Desktophintergrund

Falls Sie den Standardhintergrund von Windows Vista zu ablenkend finden, können Sie ihn über *Desktophintergrund* anpassen: Wählen Sie diesen Punkt mit der *linken Maustaste*.

Im zentralen Bereich sind kleine Voransichten der von Windows mitgelieferten Hintergrundbilder platziert. Wenn Sie eines dieser Bilder anklicken, sehen Sie sofort die Wirkung: Das Hintergrundbild des Desktops wird angepasst. Natürlich sind Sie nicht nur auf die mitgelieferten Bilder beschränkt, sondern können auch eigene

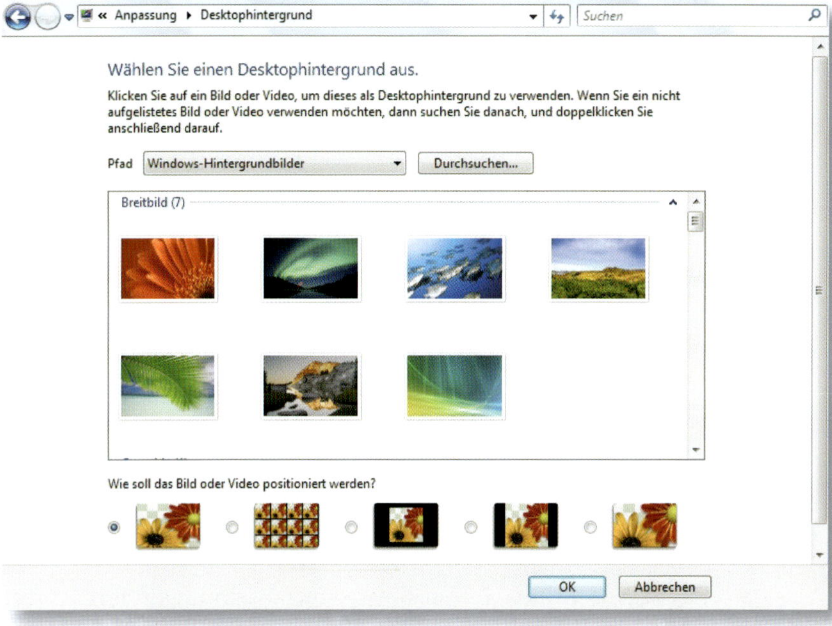

Fotos verwenden. Klicken Sie hierfür auf ***Durchsuchen***, dann öffnet sich ein Auswahlfenster, in dem Sie wie im Explorer navigieren können.

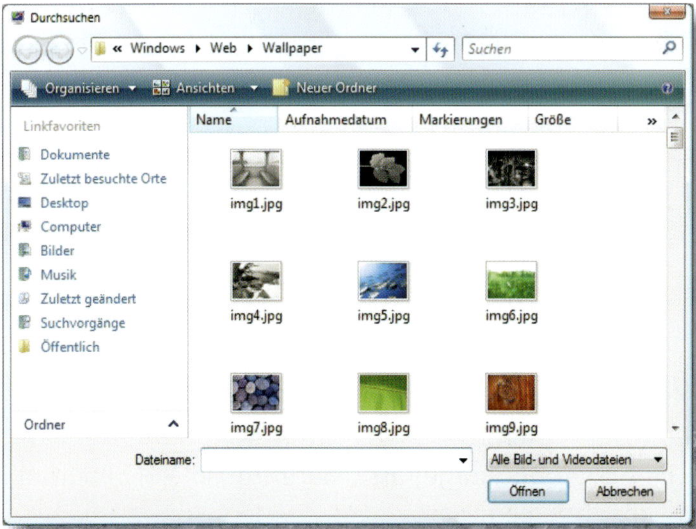

Wählen Sie hier das gewünschte Foto aus und klicken Sie auf *Öffnen*, um es als Hintergrund einzusetzen.

Die Ausklapp-Liste *Pfad* enthält noch weitere Möglichkeiten. Klicken Sie zunächst auf *Windows-Hintergrundbilder*, um die Liste zu öffnen. Wählen Sie dann *Einfarbig* aus der Liste aus. Aus der nun angezeigten Farbauswahl können Sie eine Hintergrundfarbe auswählen und so statt eines Bildes einen einheitlichen Hintergrund einstellen.

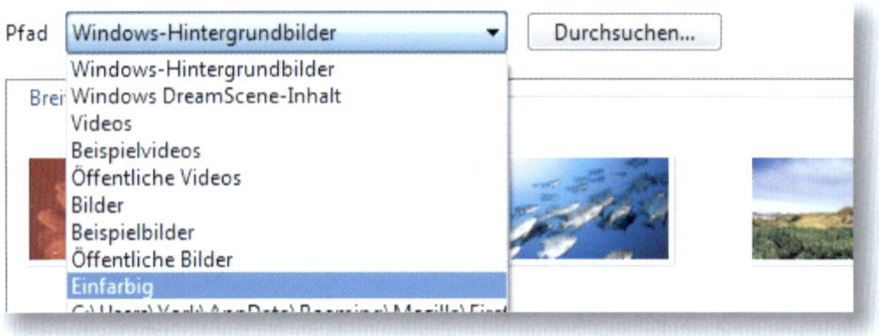

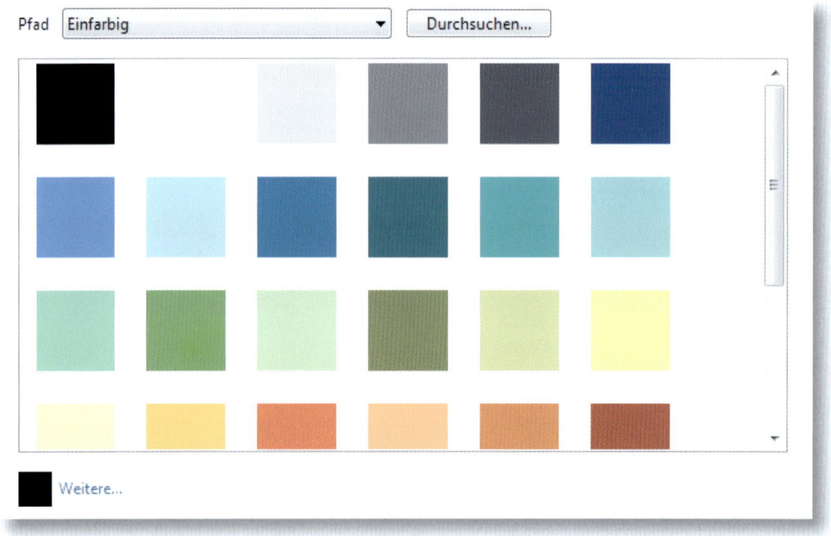

Unter Windows-Hintergrundbilder sehen Sie übrigens auch Ihren eigenen Bilder-Ordner aufgeführt, aus dem Sie alle Bilder als Hintergrund verwenden können.

4.2.2. Mauszeiger

Bei Windows Vista ist der Mauszeiger ein ganzes Stück kleiner als bei den Vorgängerversionen. Dem kann über das Einstellungsfenster *Mauszeiger* abgeholfen werden.

Sie sehen hier zunächst viele so genannte *Reiter* bzw. *Registerkarten*. Der Reiter *Zeiger* ist beim Start ausgewählt und zeigt eine Liste mit den Ihnen bekannten Mauszeigern für verschiedene Zustände.

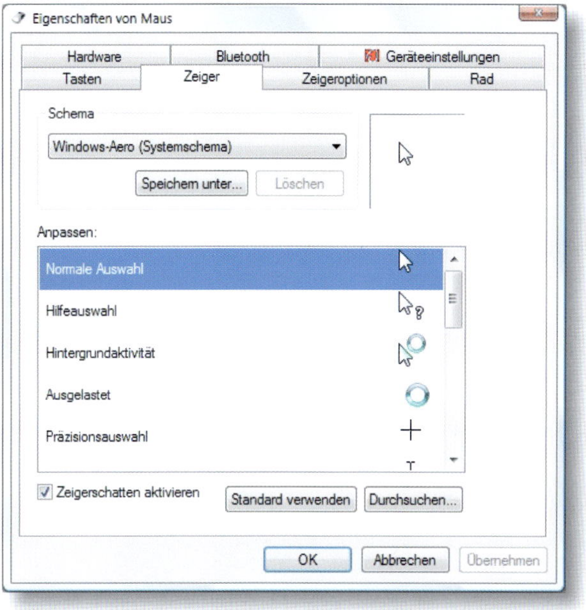

Das Standardaussehen von Windows Vista nennt sich *Aero* – in Anlehnung an das leichte und glasähnliche Aussehen vieler Elemente. Folglich heißen auch die Standard-Mauszeiger *Windows-Aero*, wie im Bereich *Schema* zu sehen. Klicken Sie auf diese Liste, so präsentieren sich Ihnen zahlreiche Alternativen.

Ist Ihnen der Mauszeiger zu klein, so sind die Alternativen mit den Zusätzen „groß“ oder „extragroß“ das Richtige. Um einen höheren Kontrast zu erreichen, eignen sich *Invertiert* oder *Schwarz*, wie im folgenden Beispiel. Um die Zeiger zu testen, ohne das Fenster zu schließen, klicken Sie auf ***Übernehmen***.

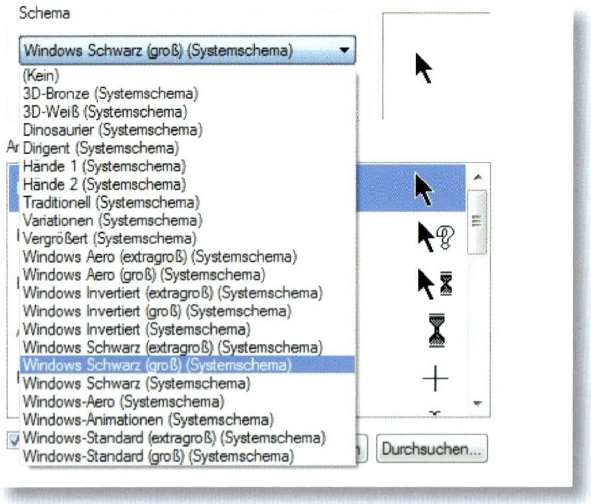

Weitere hilfreiche Funktionen finden Sie im Reiter ***Tasten***: Hier können Sie unter ***Doppelklick-Geschwindigkeit*** bestimmen, wie schnell hintereinander Sie für einen Doppelklick klicken müssen, damit Ihr Computer ihn als solchen erkennt.

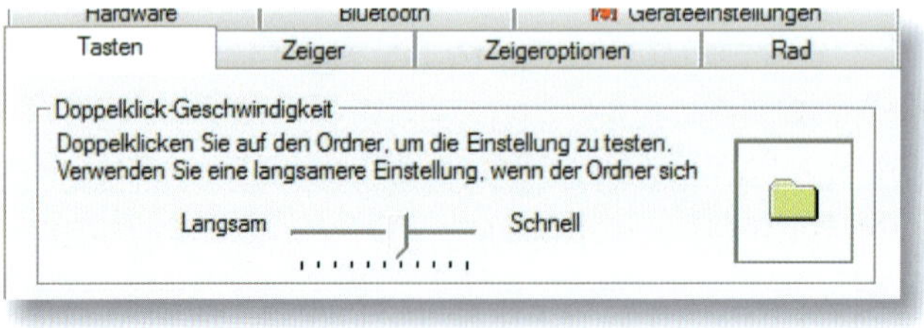

Ziehen Sie den Regler in Richtung „Langsam", um mehr Zeit für den Doppelklick zu haben.

Auch der Reiter ***Zeigeroptionen*** bietet hilfreiche Funktionen. Mit dem Schieberegler unter ***Bewegung*** können Sie festlegen, wie weit Sie die Maus bewegen müssen, damit sich der Mauszeiger gleichzeitig eine bestimmte Strecke bewegt. Wenn ***Zur Standardschaltfläche springen*** aktiviert ist, so wird bei Meldungsfenstern und Sicherheitsabfragen der Mauszeiger automatisch über der wahrscheinlichsten Auswahl positioniert.

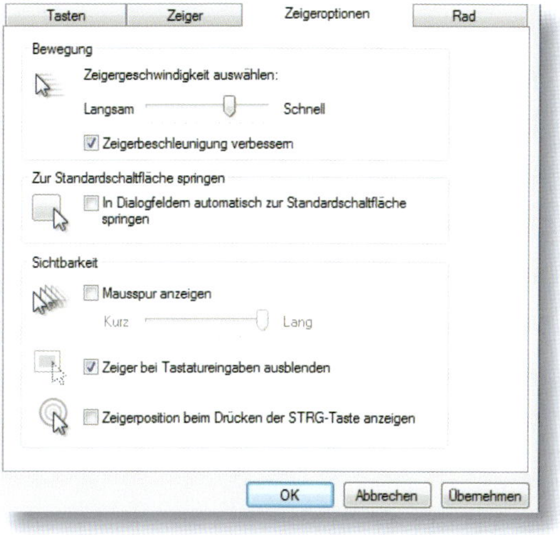

Im Bereich ***Sichtbarkeit*** können Sie Vista eine Spur hinter dem Mauszeiger ziehen lassen, damit Sie diesen bei Bewegungen leichter erkennen.

4.2.3 *Fensterfarbe*

Sollten Ihnen Farbe oder Transparenz der Fenster nicht zusagen, so können Sie im Bereich ***Fensterfarbe*** über die angezeigten Farbschalter eine andere Farbe auswählen und über den Schieberegler ***Farbintensität*** bestimmen, wie transparent das Fenster dargestellt wird.

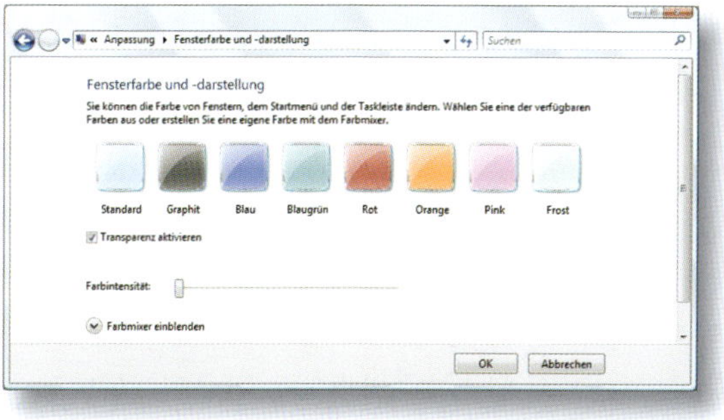

4.2.4 Design

Der Bereich *Design* erlaubt Ihnen, vielen Elementen der Benutzeroberfläche einen anderen „optischen Charakter" zu verleihen. Designs sind Pakete, in denen sich Hintergrundbilder, Symbole, Klänge und Fensterelemente befinden. Wenn Sie das Fenster *Design* öffnen, wird zunächst Ihr aktuelles Design – meist unter dem Namen *Geändertes Design* – angezeigt. Wollen Sie es durch einen Wechsel auf ein anderes nicht verlieren, sollten Sie es mit *Speichern* sichern.

Anschließend können Sie ein anderes Design aus der Liste wählen und sich die Vorschau des Designs anzeigen lassen. Gefällt es Ihnen, bestätigen Sie mit *OK*, und Windows Vista stellt alle Elemente der Benutzeroberfläche für Sie um.

TIPP Neben den mitgelieferten Designs finden Sie zahlreiche weitere Designs für Windows Vista kostenlos im Internet, meist als *Themes* bezeichnet.

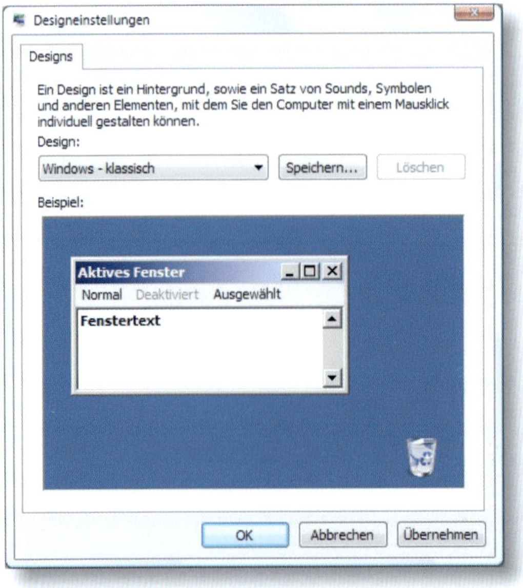

Das Design „Windows – klassisch".

4.2.5 Schriftgrad anpassen (DPI)

Durch Anpassen des so genannten **Schriftgrads** beeinflussen Sie eine grundlegende Größenmaßeinheit, die die Basis für zahlreiche Elemente der Vista Benutzeroberfläche bildet.

Sind Ihnen Schriften und andere Elemente zu klein, können Sie das an dieser Stelle ausgleichen. Der Aufruf der Schriftgradanpassung befindet sich links im grünen Fensterbereich. Da diese Einstellung weitreichende Auswirkungen hat, müssen Sie den Aufruf der Funktion als Administrator bestätigen.

In dem hier etwas verkürzt dargestellten Fenster finden Sie zwei Grundeinstellungen: Standard (96 DPI) und Größer (120 DPI).

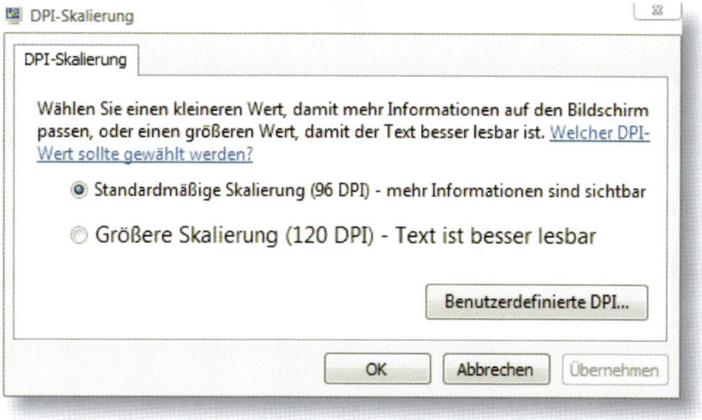

Durch Auswahl der zweiten Option werden alle Elemente um über ein Fünftel (von 96 DPI auf 120 DPI) vergrößert und Texte und Grafiken sind besser lesbar. Nach dem Bestätigen wird Windows neu gestartet, um die Änderung wirksam werden zu lassen. Über den

Punkt ***Benutzerdefinierte DPI*** können Sie den DPI-Wert selbst bestimmen und so eine noch stärkere Vergrößerung erreichen (Verkleinerung ist unter Vista nicht möglich). Im Extremfall kann dies so weit gehen wie im folgenden Bild:

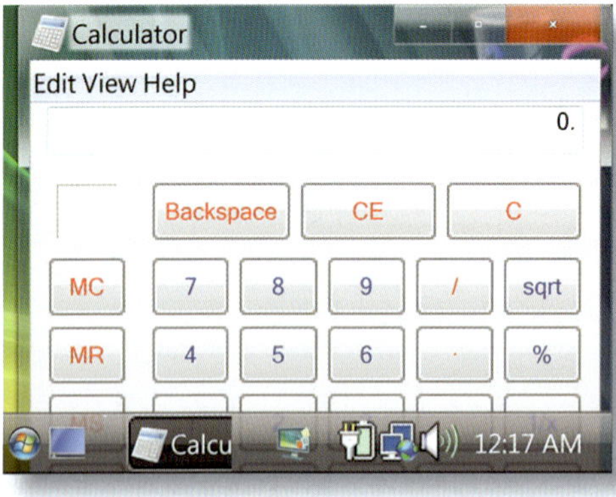

Der Taschenrechner von Windows Vista füllt bei 480 DPI den gesamten Bildschirm aus (www.istartedsomething.com).

4.2.6 Erleichterte Bedienung

Das ***Center für erleichterte Bedienung*** bietet weitere Einstellungen, um eine verbesserte Lesbarkeit durch höhere Kontraste oder eine Bildschirmlupe zu schaffen. Sie können sich hier auch die Meldungen von Fenstern vorlesen lassen und teilweise auf eine Sprachsteuerung umstellen. Folgen Sie am besten den gesprochenen und geschriebenen Anweisungen, um an dieser Stelle weitere Einstellungen vorzunehmen.

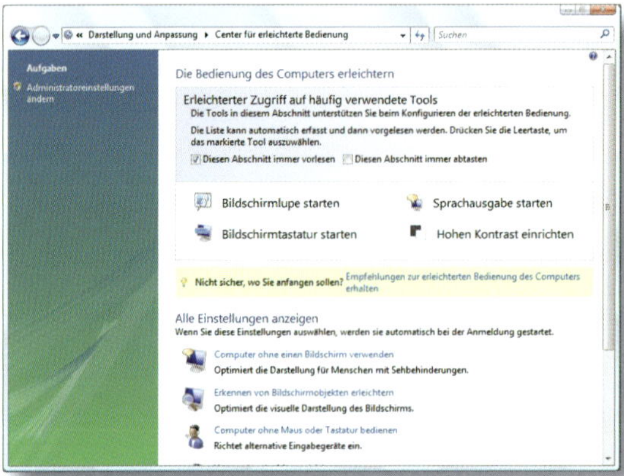

4.3 Datum und Uhrzeit

Zwar holt sich Vista bei bestehender Internetverbindung regelmäßig selbst die korrekte Zeit und stellt auch auf Sommer- bzw. Winterzeit um, manchmal ist ein Eingreifen per Hand aber doch notwendig. Außerdem sind so einige zusätzliche Funktionen erreichbar. Wählen Sie ***Start > Systemsteuerung > Zeit, Sprache und Region*** und hier den Punkt ***Datum und Uhrzeit***.

> **TIPP Noch schneller erreichen Sie dieses Fenster, indem Sie mit der** *rechten Maustaste* **auf die Uhrzeit klicken und** *Datum und Uhrzeit ändern* **auswählen.**

Das Kontrollfenster für Datum und Uhrzeit.

Bevor Sie die Uhrzeit ändern, kontrollieren Sie, ob die gewählte Zeitzone korrekt ist, und setzen Sie ggf. über ***Zeitzone ändern*** die richtige Zeitzone. Hier können Sie übrigens auch einstellen, ob automatisch auf Sommer- und Winterzeit umgestellt werden soll. Diese Einstellungen wirken sich auch auf den ***Windows-Kalender*** oder Microsoft Outlook aus und sollten daher korrekt sein. Nun können Sie über ***Datum und Uhrzeit ändern*** die neue Zeit und/ oder das neue Datum setzen.

Über den Reiter ***Zusätzliche Uhren*** gelangen Sie zu einer interessanten Funktion: Sie können bis zu zwei weitere Uhren mit beliebiger Weltzeit durch Klick auf die Uhrzeit in der Taskleiste anzeigen lassen. Hierfür stellen Sie zunächst die Zeitzone und den Anzeigenamen der Uhr ein und aktivieren sie dann durch Markieren der Checkbox ***Diese Uhr anzeigen***.

Nach einem Klick auf ***OK*** oder ***Übernehmen*** können Sie den Effekt durch einen Klick auf die Uhrzeit bewundern:

Im Reiter ***Internetzeit*** schließlich können Sie bestimmen, ob die Zeit über Ihre Online-Verbindung automatisch abgeglichen werden soll. Dies ist nur bei einer Flatrate-Verbindung sinnvoll.

4.4 Benutzerkonten

Die ***Benutzerkontensteuerung*** (engl.: User Account Control, UAC) bietet Ihnen durch Anlegen von Benutzerkonten mit unterschiedlichen Zugriffsrechten erhöhte Sicherheit. Es wird dabei zwischen zwei Arten von Konten unterschieden: Administratoren haben alle Zugriffs- und Verwaltungsrechte und können andere Konten anlegen und verwalten, Standardbenutzer haben eingeschränkte Zugriffsrechte und können selbst keine anderen Konten anlegen. Wenn jemand also als Standardbenutzer arbeitet, sind für ihn bestimmte Funktionen, die bei falscher Anwendung Probleme verursachen können, nicht zugänglich. Ebenso haben z. B. ***Viren*** über einen Benutzer mit Standardrechten keinen Zugriff auf das komplette System.

Neben diesen Sicherheitsaspekten ist es jedoch grundsätzlich sinnvoll, bei Computern, die von mehreren Personen genutzt werden, Benutzerkonten anzulegen, da so jeder mit ordentlich getrennten eigenen Dateien und Einstellungen arbeiten kann.

Für alle Benutzerkonten-Einstellungen wählen Sie ***Start > Systemsteuerung > Benutzerkonten***. Um ein neues Konto zu erstellen, klicken Sie zunächst auf ***Benutzerkonten hinzufügen/ entfernen*** und wählen dann ***Neues Konto erstellen***.

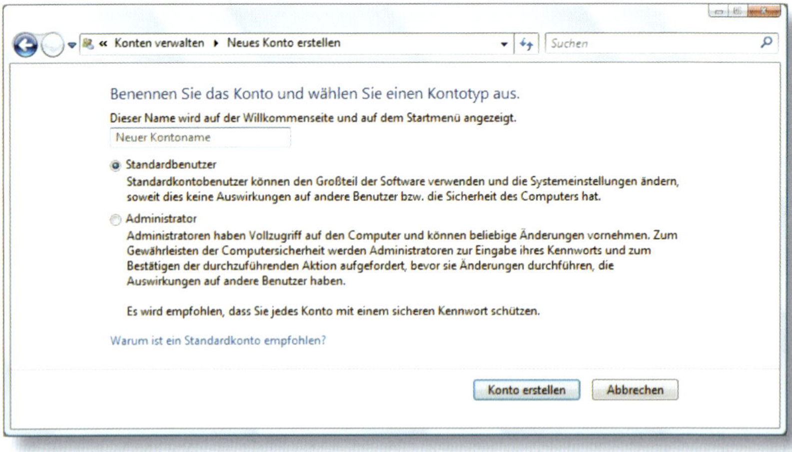

Geben Sie den gewünschten Kontonamen (z. B. ein Kürzel des Benutzernamens) ein und wählen Sie den Kontotyp aus. Dann erstellen Sie das Konto durch Anklicken von ***Konto erstellen***. Das neue Konto wird in der Kontenübersicht angezeigt.

Jedes Konto kann mit einem Kennwort und/ oder einem Nutzerbild ausgestattet werden. Wählen Sie hierzu ***Anderes Konto verwalten*** aus und bestätigen Sie die Aktion.

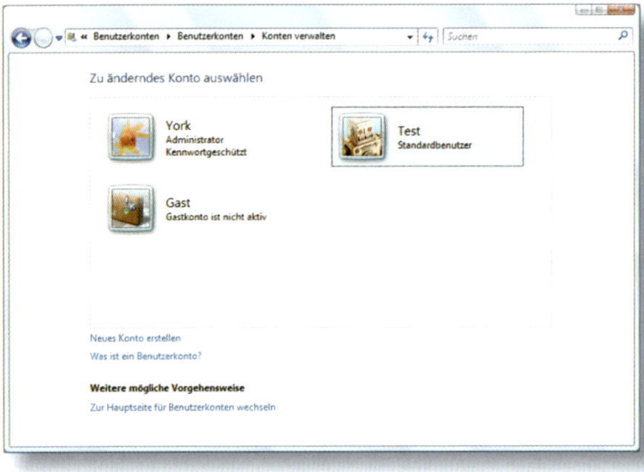

Klicken Sie nun auf das Konto, dessen Eigenschaften Sie ändern möchten.

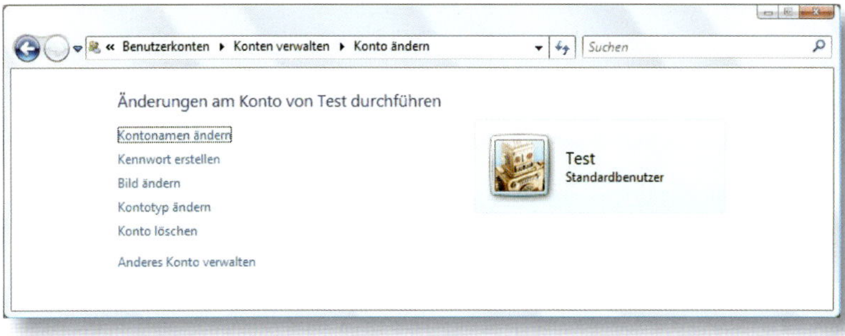

Möchten Sie das Konto mit einem Kennwort schützen, so wählen Sie ***Kennwort erstellen*** und geben Sie das Kennwort in die beiden Textfelder identisch ein. Tragen Sie am besten auch einen Kennworthinweis ein, damit Sie sich auch später noch an das Kennwort erinnern können.

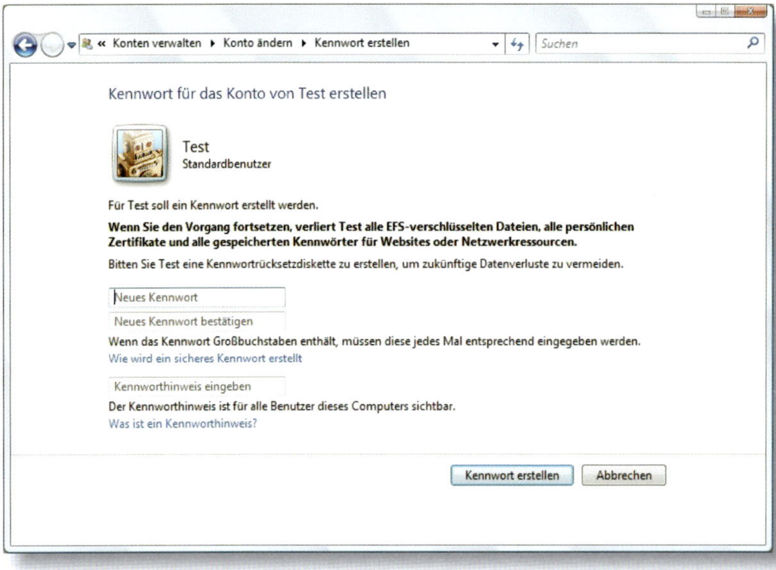

Damit Sie auf dem Anmeldebildschirm Ihr Konto sofort erkennen, können Sie sich ein Anzeigebild aussuchen. Wählen Sie hierzu auf der ***Konto ändern***-Seite ***Bild ändern*** und suchen Sie sich Ihr Lieblingsbild aus. Auch beliebige andere Bilder sind wählbar, indem Sie auf ***Nach weiteren Bildern suchen*** klicken.

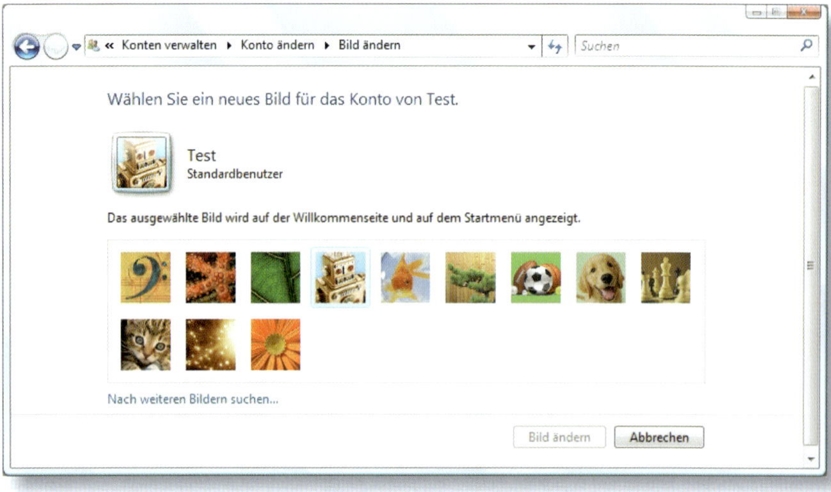

Wenn Sie auf eine Benutzerkontensteuerung vollständig verzichten, beschleunigt dies zwar einige Aktionen, da Sie diese nicht mehr bestätigen müssen, verringert aber auch dramatisch die Sicherheit Ihres Computers. Wollen Sie das dennoch, so können Sie dies über ***Systemsteuerung > Benutzerkonten > Benutzerkonten > Benutzerkontensteuerung ein- oder ausschalten*** entsprechend einstellen.

4.5 Programme entfernen

Im Laufe der Zeit können sich Programme auf dem Computer ansammeln, die Sie zwar irgendwann einmal installiert haben, aber nicht wirklich verwenden. Solche Programme sollten Sie ab und zu entfernen, um Speicherplatz freizumachen und Ihren Computer von unnötigem Ballast zu befreien. Das Rückgängigmachen einer Programminstallation nennt man Deinstallation. In der Systemsteuerung finden Sie unter ***Start > Systemsteuerung > Programme***

> Programme deinstallieren die zugehörige Funktion. Sie zeigt zunächst ein Fenster mit einer Liste aller installierten Programme an.

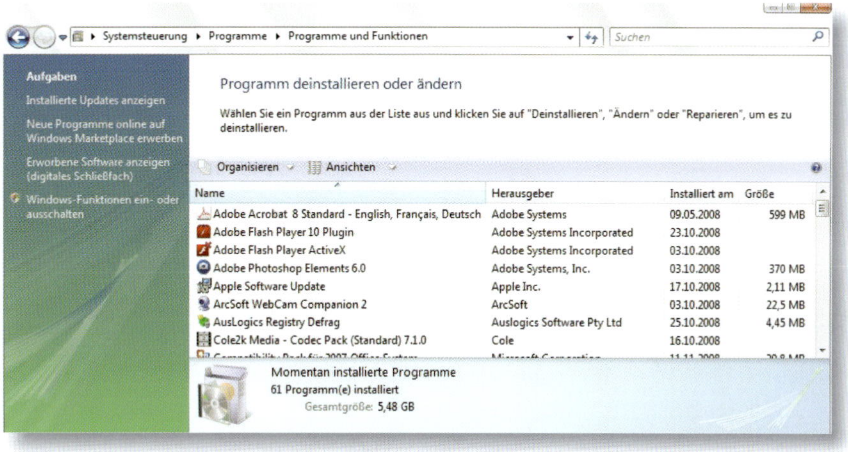

Neben Programmnamen und Herausgeber ist die Größe, die das ungenutzte Programm auf Ihrer Festplatte belegt, am interessantesten. Durch einen Klick auf den Kopf dieser Spalte können die Programme nach Größe sortiert werden.

Um ein Programm zu deinstallieren, klicken Sie es in der Liste an und wählen anschließend die Option *Deinstallieren* (oberhalb der Liste) aus. Folgen Sie den Anweisungen in den jetzt erscheinenden Dialogen, die sich von Programm zu Programm unterscheiden können.

4.6 Drucker

Das Thema Drucker erschöpfend zu behandeln ist in der gebotenen Kürze kaum möglich. Glücklicherweise läuft die Installation mittlerweile nahezu automatisch ab und die Hersteller legen detaillierte Anweisungen bei. Alle weiteren Optionen finden Sie unter *Start > Systemsteuerung > Hardware und Sound > Drucker*.

Um festzulegen, welchen Drucker Windows Vista standardmäßig verwendet, sehen Sie sich die Liste der installierten Drucker an. Der so genannte ***Standarddrucker*** ist durch einen Haken auf grünem Kreis gekennzeichnet, hier der Brother HL-2030.

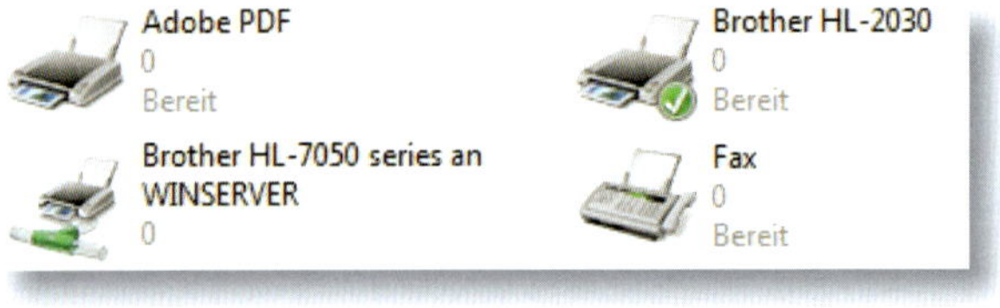

Um einen anderen Drucker als Standarddrucker zu setzen, klicken Sie mit der rechten Maustaste auf den gewünschten Drucker und wählen ***Als Standarddrucker festlegen***.

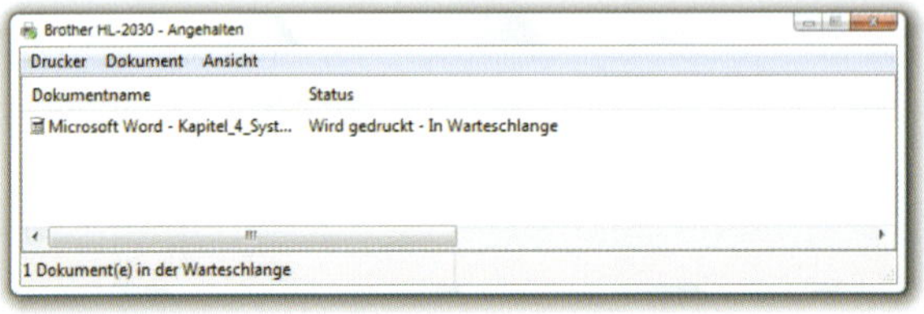

Sollten Sie einen Druckauftrag abbrechen oder löschen wollen oder streikt der Drucker, weil der aktuelle Auftrag nicht verarbeitet werden kann, so klicken Sie in obiger Liste doppelt auf das Symbol des betreffenden Druckers.

Sie sehen dann eine Liste der Druckaufträge, die für diesen Drucker anstehen. Klicken Sie mit der rechten Maustaste auf den obersten und wählen Sie ***Abbrechen*** oder, wenn er zuvor angehalten wurde, ***Neu starten***.

Um die Verbindung zu einem Drucker dauerhaft zu entfernen, markieren Sie das Symbol des Druckers und drücken Sie anschließend einfach die ***Entf***-Taste. Nach einer Bestätigung von Ihnen wird die Verbindung gelöscht.

5 Die Programme von Vista

Windows Vista bringt bereits alles mit, was Sie brauchen, um zu rechnen, Briefe zu schreiben, Fotos zu verwalten und zu bearbeiten oder Musik zu hören und CDs zu brennen. Die Bedienung der wichtigsten dieser nützlichen Programme wird in diesem Kapitel erklärt.

5.1 Windows-Fotogalerie

Mit Sicherheit zu den beliebtesten und faszinierendsten Beschäftigungen mit einem Computer gehören die Bildbearbeitung und Fotoverwaltung. Der Schritt von der analogen zur Digitalfotografie, aber auch die Vernetzung über das Internet bringen immer mehr Bilder auf den heimischen Rechner. Damit Sie sich in diesen Bildmengen zurechtfinden und das Beste aus Ihren Bildern heraus-

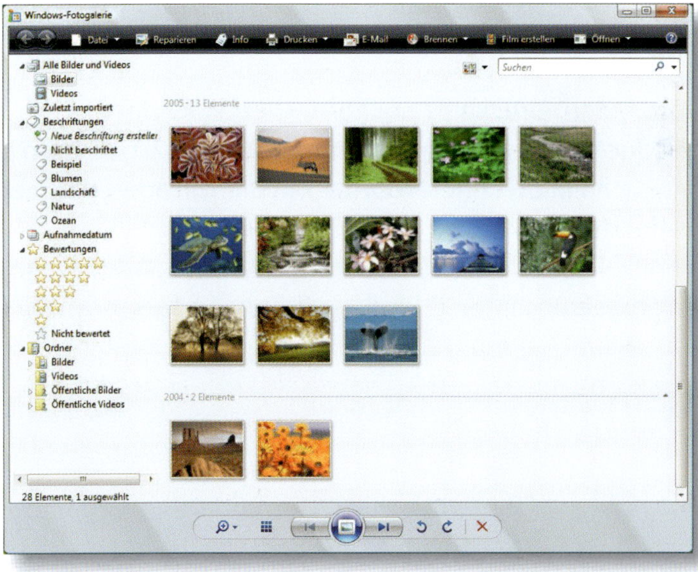

Die Windows-Fotogalerie zeigt nach dem Start den Inhalt des zuletzt eingestellten Ordners an.

holen können, wurde mit Windows Vista erstmals die Windows-Fotogalerie eingeführt.

Um die Fotogalerie zu starten, klicken Sie auf ***Start > Alle Programme > Windows-Fotogalerie***. Nach einem kurzen Moment öffnet sich die Fotogalerie und zeigt Ihnen bereits eine erste Beispiel-Bildauswahl von Windows.

Die Windows-Fotogalerie ist ein wahres Multitalent. Dementsprechend groß ist auch die Anzahl der Funktionen, die auf verschiedene Ebenen verteilt sind:

- **In der Menüzeile finden Sie den Zugang zu Aktionen, z. B. Bilder drucken oder per Mail versenden, Bilder auf CDs brennen oder in der Farbe anpassen.**
- **Auf der linken Seite befinden sich verschiedene Kriterien, nach denen Sie auswählen können, welche Bilder angezeigt werden.**
- **Im unteren Fensterteil ist – ähnlich wie beim Windows Media Player – eine Fernsteuerung für die wichtigsten Aktionen eingebaut.**

5.1.1 Eigene Fotos hinzufügen

Um alle Bilder beispielsweise von einer Speicherkarte, einem USB-Stick oder auch einem anderen Ordner in die Windows-Fotogalerie zu übernehmen, wählen Sie ***Datei > Ordner der Galerie hinzufügen*** in der Menüzeile aus. Daraufhin öffnet sich ein Auswahl-Dialog, in dem Sie den gewünschten Ordner bestimmen können.

Nachdem Sie mit ***OK*** bestätigt haben, werden alle Fotos und Videos dieses Ordners in die Fotogalerie importiert. Dabei werden sie gleichzeitig auf Ihren Computer in den Ordner ***Bilder*** kopiert, wenn sie sich noch nicht dort befinden.

Wollen Sie nur einige ausgewählte Bilder und nicht gleich den ganzen Ordner einfügen, so öffnen Sie zusätzlich zur Fotogalerie den Windows Explorer (durch ***Windows***-Taste + ***E***) und gehen Sie dort zu Ihren Bildern. Markieren Sie die Bilder, die Sie in die Fotogalerie übernehmen möchten (durch ***Strg***-Taste + ***linke Maustaste***). Ziehen Sie diese dann bei gedrückter Maustaste in die Fotogalerie.

Haben Sie Ihre Kamera oder Ihren Scanner angeschlossen, so können Sie die Fotos auch direkt importieren, ohne erst einen Kartenleser bemühen zu müssen. Klicken Sie hierzu einfach auf den Menüpunkt ***Datei > Von Kamera oder Scanner importieren*** und wählen Sie dort Ihre Kamera als Quelle aus.

5.1.2 Fernbedienungsleiste und Diashow

Nachdem Sie nun Ihre Fotos in die Windows-Fotogalerie übernommen haben, sehen Sie im Mittelteil des Fensters kleine Vorschaubilder der Fotos. Sie sind nach dem Aufnahmedatum sortiert, das Windows bei Digitalfotos praktischerweise gleich mit ausliest.

Sollten Ihnen die Vorschaubilder zu klein sein, so können Sie über das Lupensymbol einen Schieberegler einblenden und durch Ziehen des Reglers die gewünschte Vorschaugröße für alle angezeigten Bilder einstellen.

Das zweite Symbol dient dazu, die Größe der Vorschaubilder wieder auf die ursprüngliche zurückzusetzen.

Klicken Sie auf eines der Bilder, dann wird es mit einem Rahmen markiert. Dies bedeutet, dass sich die Aktionen, z. B. Drehen, Zuschneiden oder Drucken, auf dieses Foto beziehen werden.

> **TIPP Sie können mehrere Fotos durch Halten der Strg-Taste und gleichzeitiges Anklicken einzeln markieren. Um einen ganzen Bereich zu markieren, klicken Sie auf dessen Anfang, drücken Sie dann die Umschalt-Taste und klicken Sie bei gedrückter Umschalt-Taste auf das Ende des Bereichs.**

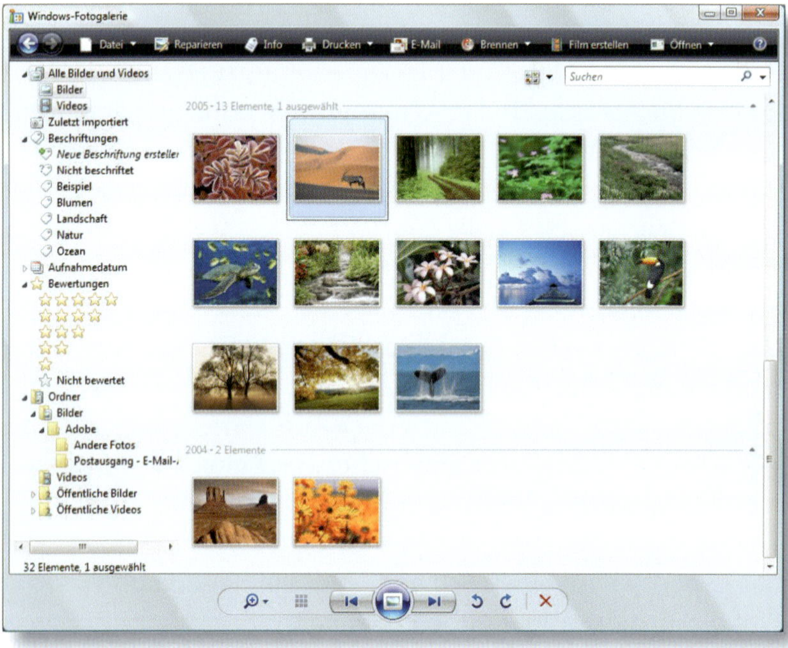

Fotogalerie mit markiertem Foto.

Wenn Sie jetzt auf eines der Vorschaubilder doppelklicken, dann wird es fensterfüllend angezeigt. Nun können die Pfeil-Symbole verwendet werden, um zum vorherigen oder nächsten Bild in Ihrem Foto-Set zu gelangen, ohne die vergrößerte Darstellung verlassen zu müssen.

Auch hier können Sie wieder über das Lupensymbol das Bild weiter vergrößern und über das Symbol daneben zwischen Originalgröße und fensterfüllender Darstellung wechseln. Wenn das Bild größer ist als der angezeigte Ausschnitt, so kann das Bild mit dem Mauszeiger „gefasst“ und verschoben werden, indem Sie die Maus bei gedrückter Maustaste bewegen.

Durch Drücken der ***Escape***-Taste gelangen Sie wieder zur vorherigen Darstellung der Vorschaubilder zurück.

Bilder, die auf der Seite liegen oder gar auf dem Kopf stehen, können ganz einfach um 90 Grad gegen bzw. mit dem Uhrzeigersinn gedreht werden, indem Sie die beiden entsprechenden Symbole verwenden. Das rote X ganz rechts in der Fernsteuerungsleiste dient dem Löschen von Bildern.

Der vielleicht wichtigste Knopf ist jedoch der mittlere blaue Knopf, mit dem sich eine automatische Diashow ausgewählter Fotos starten lässt. Die Fotos und Videos werden nun bildschirmfüllend wiedergegeben und durch Überblendungen miteinander verbunden. Auch während der Diashow gibt es eine Fernbedienungsleiste, die sich allerdings ausblendet, um nicht von den Bildern abzulenken. Um sie einzublenden, bewegen Sie einfach den Mauszeiger ein wenig, und schon erscheint sie wieder.

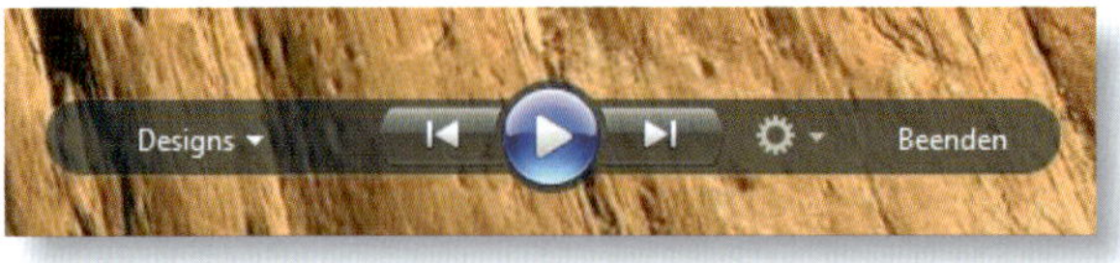

In der Mitte finden Sie wieder Start/ Pause und die Symbole für einen Sprung zum vorangehenden oder nächsten Bild. Unter ***Designs*** können verschiedene Arten der Überblendung gewählt werden. Das Zahnrad-Symbol öffnet ein kleines Menü, in dem Sie Geschwindigkeit, Audiowiedergabe bei Videos, Wiederholung („Schleife") und Sortierung einstellen können. Über die ***Escape***-Taste oder den ***Beenden***-Knopf verlassen Sie die Diashow.

5.1.3 Fotos drucken, verschicken und brennen

Vielleicht wollen Sie Ihre Fotos aber nicht nur ansehen, sondern Abzüge bestellen, CDs brennen oder die Bilder ausdrucken. Alle Werkzeuge für diese Aktionen finden Sie in der Menüleiste.

Über den Menüpunkt ***Drucken*** können Sie sowohl auf Ihrem Drucker zuhause die markierten Fotos ausdrucken als auch Abzüge bei verschiedenen Anbietern bestellen. Markieren Sie hierzu zunächst die betreffenden Fotos und wählen Sie anschließend ***Drucken*** ***> Drucken***, um zum Fenster der Druckoptionen zu gelangen.

Am oberen Rand des Fensters legen Sie zunächst alle Ihren Drucker betreffenden Einstellungen fest. Achten Sie dabei darauf,

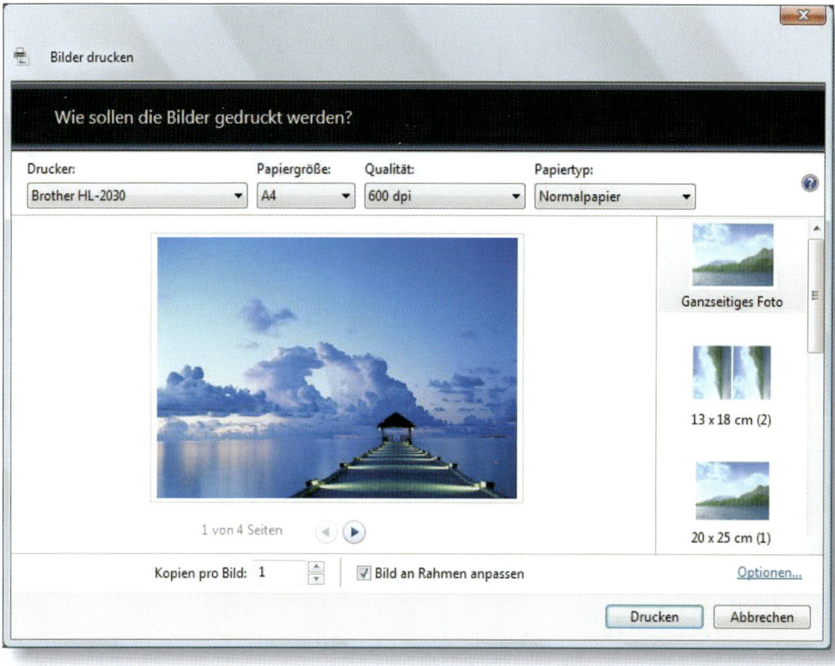

Das Druckoptionen-Fenster zeigt in der Mitte eine Voransicht des Ausdrucks.

dass Fotopapier in der Regel kein A4-Format besitzt und bei Tintenstrahldruckern deutlich mehr Farbe aufnehmen kann. Entsprechend sollten Sie unter ***Papiertyp*** auch ***dickeres Papier*** einstellen und die höchste Qualität festlegen.

Unterhalb der Seitenvoransicht können Sie festlegen, wie viele Kopien von jedem Bild gedruckt werden. Mit Hilfe der Leiste am rechten Rand veranlassen Sie, dass mehr als ein Bild pro Seite gedruckt wird. Die Einstellung ***Bild an Rahmen anpassen*** befiehlt Windows, die Fotos so zurechtzuschneiden, dass der vorhandene Platz optimal ausgenützt wird. Im Bereich ***Optionen*** finden Sie noch weitere Feineinstellungen zum Druck sowie das „normale" Druckeigenschaften-Fenster.

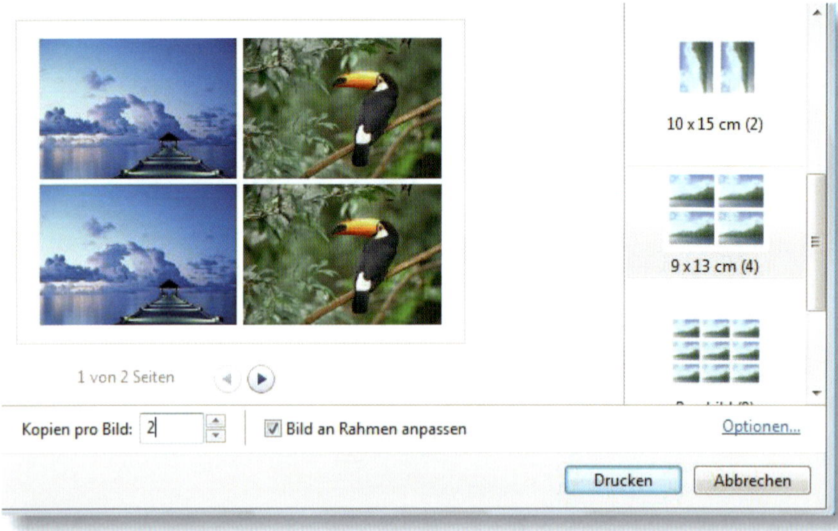

Seitenvoransicht mit zwei Kopien pro Bild und vier Bildern je Seite.

Sie können jedoch auch – eine Internetverbindung vorausgesetzt – Abzüge von Ihren Bildern bestellen, statt sie selbst zu drucken. Wählen Sie hierzu ***Drucken > Abzüge bestellen***. Es wird eine Liste von Fotolaboren angezeigt. Markieren Sie Ihren bevorzugten Anbieter und klicken Sie auf ***Bilder senden***.

Abzüge bestellen: Die Liste hält aktuelle Fotodruck-Labore bereit.

Stimmen Sie der Datenschutzbelehrung zu und geben Sie Ihre Benutzerdaten ein, wenn Sie hierzu aufgefordert werden, oder legen Sie ein neues Benutzerkonto an, wenn Sie noch keines besitzen.

Eine weitere Möglichkeit, Ihre Bilder mit Freunden und Verwandten zu teilen, ist der Versand per E-Mail. Markieren Sie dafür wiederum alle Bilder, die Sie in der E-Mail versenden möchten, und wählen Sie die Option ***E-Mail***. Im folgenden Dialog können Sie bestimmen, in welchem Format die Bilder in die E-Mail eingefügt werden sollen.

Größenoptionen für Bilder beim Versand per E-Mail aus der Windows-Fotogalerie.

Beachten Sie, dass E-Mails nicht beliebig groß sein können und lange Ladezeiten beim Empfänger verursachen, wenn Sie zu viele oder zu große Bilder einfügen. Es empfiehlt sich daher, die Einstellung ***Mittel*** und eine Kontrolle der ***geschätzten Gesamtgröße*** der E-Mail (diese sollte nicht über 3.500 bis 5.000 KB liegen). Nachdem Sie auf Anfügen geklickt haben, wird Ihr Standard-Mail-Programm geöffnet und eine E-Mail mit den Bildern erzeugt.

Bilder zu brennen ist sogar noch einfacher: Markieren Sie die gewünschten Bilder und klicken Sie auf ***Brennen > Daten-CD***, dann werden Sie zum Einlegen eines CD-Rohlings aufgefordert. Der Brennvorgang startet danach automatisch.

5.1.4 *Fotoauswahl und Fotobenennung*

Mit der Zeit werden Ihre digitalen Fotoalben immer mehr Bilder enthalten. Um den Überblick nicht zu verlieren, können Sie über die Auswahlpunkte im linken Fensterbereich bestimmen, welche Fotos in der Fotogalerie angezeigt werden.

Diese Auswahlpunkte sind größtenteils selbsterklärend. Die Oberpunkte lassen sich – wie im Windows Explorer – durch einen Klick auf den Pfeil (links vom Symbol) aus- und einklappen, sodass weitere Unterpunkte sichtbar werden. Die Sortierung der angezeigten Auswahl können Sie über den Eintrag ***Sortieren nach*** im oben gezeigten Menü durchführen. Es öffnet sich nach einem Klick auf das Quadrat aus vier Fotos. Auch eine Suche nach Text ist über das Texteingabefeld mit der Lupe möglich.

Damit Sie später Ihre Fotos leicht wiederfinden, ist es zunächst wichtig, dass Sie die Fotos unter aussagekräftigen Ordnernamen abspeichern (z. B. *Urlaub_Kroatien_2008)*. Um aber noch gezielter z. B. alle Fotos von Stränden oder alle Ihre Lieblingsfotos schnell auswählen zu können, bietet die Fotogalerie zwei Möglichkeiten: Bewertung und Beschriftung. Nach beiden kann später ausgewählt und gesucht werden. Sie „hängen“ unsichtbar am einzelnen Bild und verändern dieses nicht.

Die Beschriftungen erscheinen als kleine Anhänger, hier die Beschriftung „Strand".

Markieren Sie zur Vergabe von Bewertungen und passenden Beschriftungen ein Bild und wählen Sie im Menü ***Info*** aus. Am rechten Fensterrand erscheint nun eine Info-Leiste. Hier können Sie für das ausgewählte Bild eine Bewertung in Form von Sternen vergeben und über ***Beschriftungen hinzufügen*** das Foto mit Stichwörtern versehen.

5.1.5 *Fotos bearbeiten*

Sicherlich haben Sie auch Fotos mit dem berühmten Rote-Augen-Effekt oder auch alte, eingescannte Fotos, bei denen Farbe und Kontrast schon etwas zu wünschen übrig lassen. Für diese und ähnliche Fälle bringt die Windows-Fotogalerie den Punkt ***Reparieren*** mit. Markieren Sie ein Foto und klicken Sie anschließend auf ***Reparieren***, so sehen Sie auf der rechten Fensterseite die Bearbeitungsoptionen:

- *Automatisch anpassen* versucht, die optimalen Einstellungen für das Foto selbständig zu finden. Dies klappt nicht immer, ist aber insbesondere bei älteren, eingescannten Fotos zu empfehlen.

- *Belichtung anpassen* ermöglicht eine manuelle Korrektur von Helligkeit und Kontrast des Bildes, was besonders bei Gegenlichtaufnahmen hilfreich sein kann.

- *Farbe anpassen* zeigt Regler für Farbtemperatur, Farbton und Sättigung an, die ähnlich wie bei einem Fernsehgerät funktionieren. Die Farbtemperatur bestimmt dabei, ob das Bild eher wärmer, rötlicher oder kühler, blauer erscheint. Über den Farbton können alle Farben des Bildes im gleichen Maße verschoben werden, bis hin zu Falschfarbaufnahmen. Die Sättigung kann verblasste Farben verstärken, aber auch Farbfotos schwarz-weiß werden lassen.

- *Bild zuschneiden* erlaubt Ihnen, unwichtige Bereiche des Bildes zu entfernen und einen gewünschten Bereich durch Markieren auszuschneiden.

- *Rote Augen korrigieren* hilft dabei, die durch Fotografie mit Blitz entstandenen roten Augen zu normalisieren. Ziehen Sie ein Rechteck um den Bereich der Augen, und die Funktion korrigiert automatisch nur die roten Augen, ohne umliegende Bildteile zu verändern. Sollten Sie eine einzelne Korrektur oder alle Korrekturen nicht übernehmen wollen, so finden Sie unten den Punkt *Rückgängig*.

> **!**
> **TIPP** Wenn Sie den Bereich für die Rote-Augen-Effekt-Korrektur nicht markieren können, weil der Bildausschnitt zu klein ist, so können Sie über das Lupensymbol (in der Fernbedienungsleiste am unteren Fensterrand) in das Bild hineinzoomen und dann bequem den richtigen Ausschnitt festlegen.

5.2 Rechner

Der Rechner ist bereits seit der ersten Version ein fester Bestandteil von Windows – auch unter Vista darf er nicht fehlen. Er bietet Ihnen alle Funktionen eines wissenschaftlichen Taschenrechners. Sie finden ihn unter ***Start > Alle Programme > Zubehör > Rechner***.

Der Taschenrechner in der Standardansicht.

Der Rechner startet in der Standardansicht als einfacher Taschenrechner. Sie können die Funktionen dabei mit der Maus bedienen, über die Operatoren- und Zifferntasten oder am bequemsten über den Zehnerblock Ihrer Tastatur.

TIPP Es kann vorkommen, dass der Zehnerblock nicht auf Nummernmodus geschaltet ist und keine Eingaben im Rechner erscheinen. Drücken Sie in diesem Fall einmal auf die Taste *Num-Lock*, um den Modus umzuschalten. Dies wird in der Regel auch durch eine aufleuchtende LED auf der Tastatur angezeigt.

Der Taschenrechner erweist sich vor allem in Verbindung mit anderen Programmen als recht praktisch, da sich die Ergebnisse über

Bearbeiten > ***Kopieren*** in die Zwischenablage und von dort aus in andere Programme übertragen lassen. So können Tippfehler vermieden werden. Außerdem bietet der Rechner in der Standardansicht eine Wurzelfunktion (mit ***sqrt*** bezeichnet), eine Prozentfunktion und eine Funktion zur Ermittlung des Kehrbruchs. Über die Taste ***M+*** können wie in regulären Taschenrechnern Zwischenergebnisse im Rechner gespeichert und weiterverwendet werden; ***MC*** löscht den Zwischenspeicher. Um auch große Zahlen übersichtlich angezeigt zu bekommen, kann unter ***Ansicht*** > ***Zifferngruppierung*** der Tausendertrenner eingeschaltet werden.

Zifferngruppierung ausgeschaltet.

Zifferngruppierung eingeschaltet.

Sollten Sie noch ausgefeiltere Funktionen benötigen, so können Sie den Taschenrechner mit ***Ansicht*** > ***Wissenschaftlich*** in einen wissenschaftlichen Taschenrechner mit zahlreichen Zusatzfunktionen verwandeln.

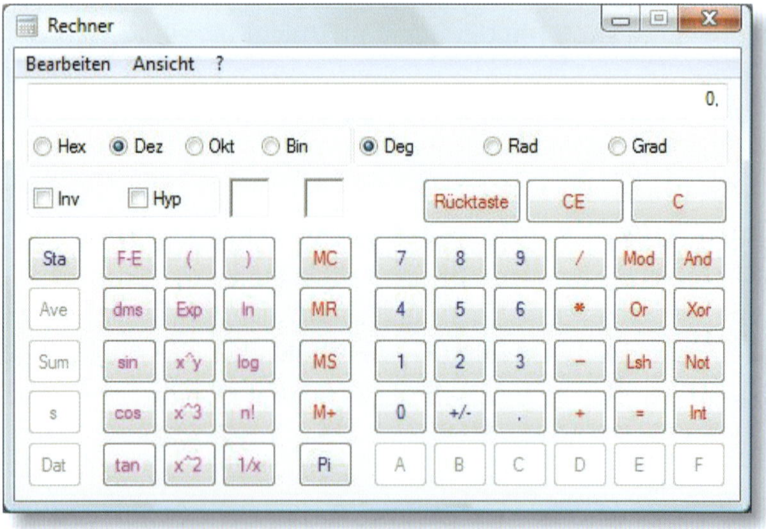

Die wissenschaftliche Ansicht des Rechners.

5.3 Windows-Kalender

Der Windows-Kalender hilft Ihnen, den Überblick über Termine und Aufgaben zu behalten, diese schnell wiederzufinden und sich automatisch erinnern zu lassen. Wiederkehrende Einträge werden von selbst fortgeschrieben.

Zusätzlich können Sie den Kalender sogar per E-Mail versenden oder über ein Netzwerk anderen zugänglich machen. Sie finden den Windows-Kalender unter ***Start > Alle Programme > Windows-Kalender***.

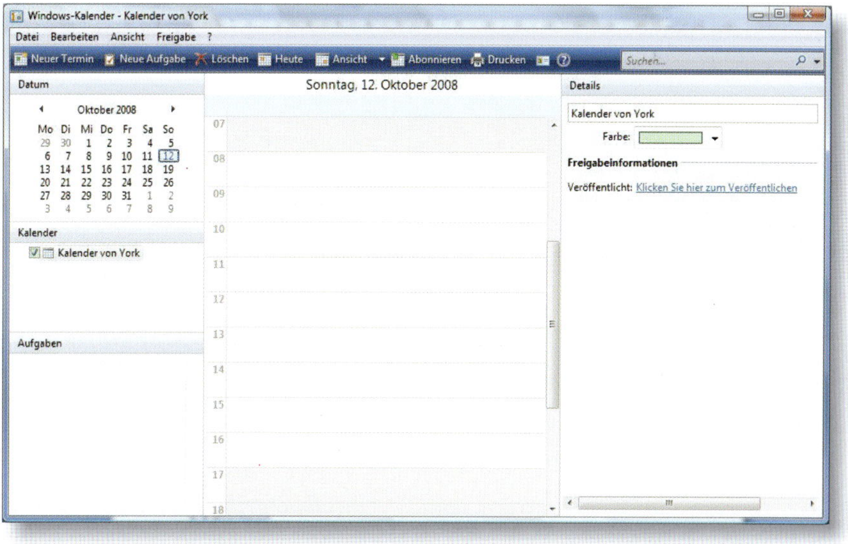

Der Windows-Kalender nach dem ersten Start.

Der Kalender startet zunächst in der Tagesansicht mit dem aktuellen Datum. Sie können den angezeigten Zeitraum unter dem Menüpunkt ***Ansicht*** auf ***Tag***, ***Woche***, ***Arbeitswoche*** (Montag bis Freitag) oder ***Monatsansicht*** ändern. Beim nächsten Start wird der Kalender dann mit der zuletzt gewählten Ansicht geöffnet.

5.3.1 *Neuen Termin oder Aufgabe anlegen*

Um einen neuen Termin einzutragen, gehen Sie zunächst im Vorschaukalender „Datum“ im linken oberen Fensterbereich zum gewünschten Datum. Daten in der Nähe des aktuellen Monats können durch einfaches Blättern angewählt werden. Weiter entfernte Daten erreichen Sie, indem Sie auf den Titel zwischen den beiden Pfeilen klicken (z. B. „Oktober 2008“). Dies bewirkt ein Herauszoomen und ermöglicht das schnelle Anwählen eines beliebigen Datums.

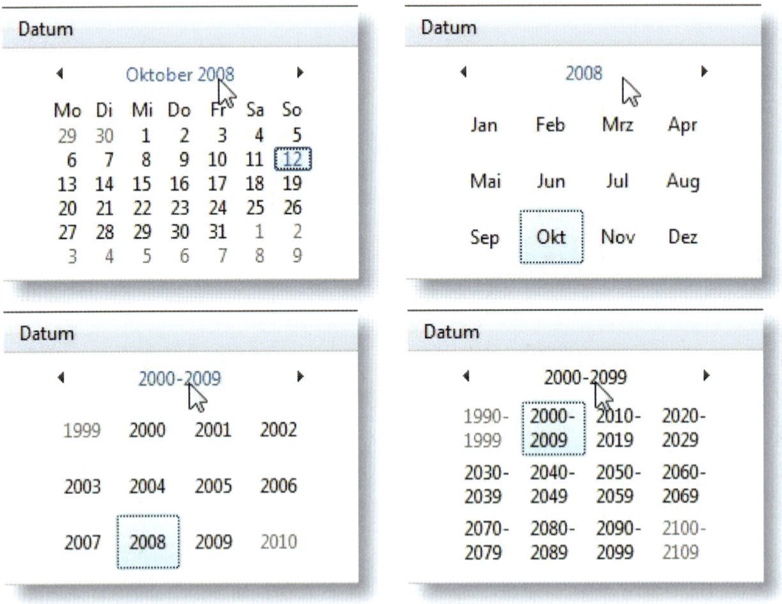

„Herauszoomen“ zur Datumsauswahl durch Anklicken der Titel.

Nach der Auswahl des gewünschten Datums können Sie nun in der Menüzeile auf ***Neuer Termin*** klicken oder innerhalb der Hauptansicht aus dem Kontextmenü den Punkt ***Neuer Termin*** anwählen.

Nun können Sie alle Information zu diesem Termin eingeben, wobei Sie zwischen ganztägigen Terminen (z. B. Geburtstagen) und zeitlich begrenzten Terminen (Besprechungen, Verabredungen)

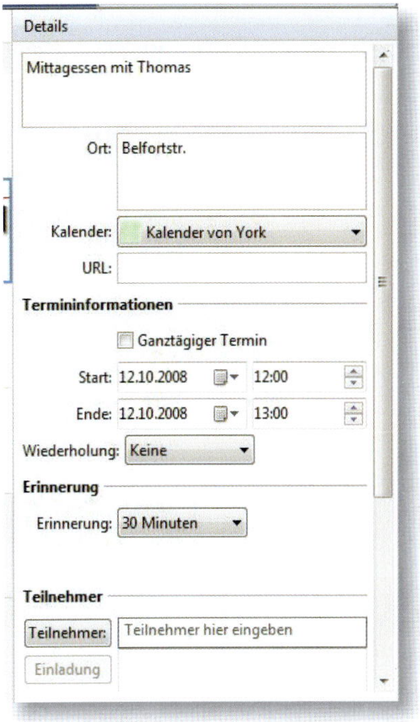

mit und ohne Wiederholung unterscheiden können. Durch die Wahl einer ***Erinnerung*** erhalten Sie rechtzeitig einen Hinweis auf den Termin. Außerdem können Sie ***Teilnehmer*** einladen, die Sie aus der Anwendung ***Windows-Kontakte*** auswählen können. Diese werden dann per E-Mail verständigt und können Ihre Anfrage annehmen oder ablehnen. Die Zu- oder Absage wird automatisch in den Kalender eingetragen.

Neben Terminen können Sie im Windows-Kalender auch Aufgaben eintragen. Wählen Sie hierzu in der Menüzeile ***Neue Aufgabe***. Die noch unerledigten Aufgaben sind im Bereich ***Aufgaben*** des Fensters solange sichtbar, bis sie als erledigt markiert werden.

5.3.2 Wichtige Einstellungen

Sicherlich wollen Sie den Kalender gerne an die für Sie wichtigen Zeiten anpassen. Die wichtigsten Anpassungen finden Sie unter

Datei* > *Optionen im Optionenfenster. Im oberen Bereich ist es möglich, die Wochenansicht anzupassen, indem Sie den Tagesbeginn und das Tagesende entsprechend einstellen.

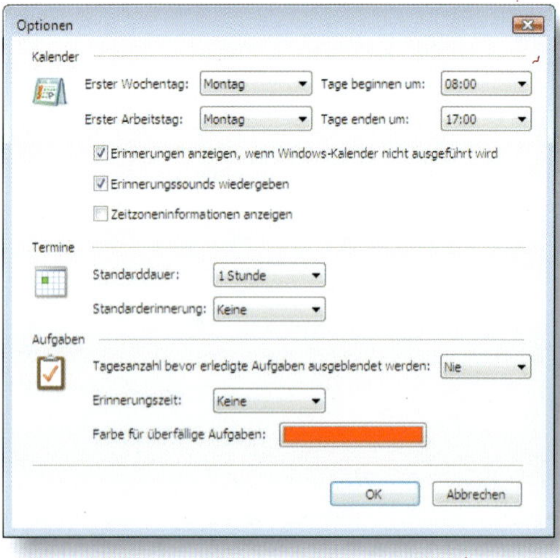

Das Optionenfenster erlaubt Ihnen, Einstellungen für alle neuen Termine, Aufgaben und die Kalenderansicht einzustellen.

Möchten Sie Erinnerungen nur angezeigt bekommen, wenn Sie den Windows Kalender geöffnet haben, so können Sie dies durch Entfernen des ersten Hakens angeben. Genauso wählen Sie im nächsten Feld, ob ein Klang bei einer Erinnerung abgespielt werden soll.

Wünschen Sie bei jedem Termin eine Erinnerung, so wählen Sie im nächsten Abschnitt unter ***Standarderinnerung*** aus, wie lange vor dem Termin Sie erinnert werden wollen.

Im Abschnitt ***Aufgaben*** ist vor allem der erste Punkt interessant. Hier können Sie eingeben, wie schnell Aufgaben, die Sie bereits als erledigt markiert haben, ausgeblendet werden. Der voreingestellte Wert ***Nie*** macht nur dann Sinn, wenn Sie auch die schon erledigten Aufgaben im Blick haben wollen.

5.3.3 Termine suchen und drucken

Die größten Vorteile eines elektronischen Kalenders sind sicher die Erinnerungsfunktion und das automatische Fortschreiben von wiederkehrenden Terminen – aber auch das Suchen von Einträgen ist sehr nützlich:

Um nach einem Termin oder einer Aufgabe zu suchen, klicken Sie auf das Wort ***Suchen*** und geben Sie einfach ein Wort aus dem Titel des Termins oder der Aufgabe in das Suchfeld neben der Lupe ein.

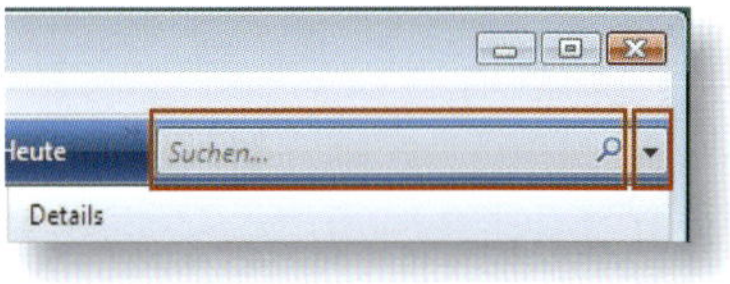

Die Suche wird noch während Sie tippen ausgeführt und zeigt Ihnen eine Liste aller Treffer an, sowohl aus der Vergangenheit als aus der Zukunft. Die Sortierung erfolgt standardmäßig nach dem Titel des Treffers (***Dateiinfo***). Um die Termine nach Datum zu sortieren, klicken Sie auf den Spaltenkopf ***Datum***; ebenso ist eine Sortierung nach der Dauer der Termine möglich, durch einen Klick auf ***Dauer***.

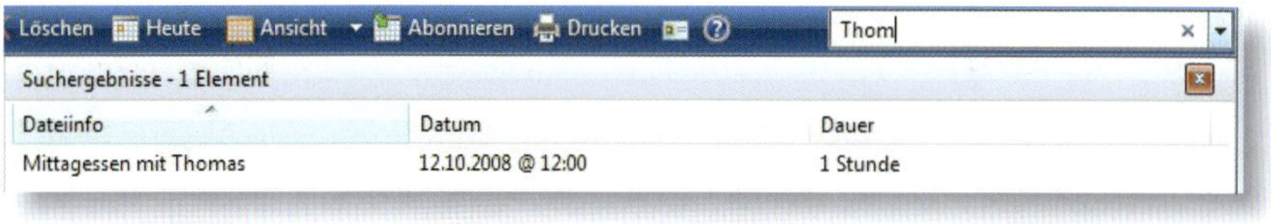

Um einen gefundenen Termin anzuzeigen, klicken Sie doppelt auf die Zeile des Termins.

TIPP Sollten Ihnen zu viele Ergebnisse angezeigt werden, so lässt sich durch einen Klick auf den schwarzen Pfeil neben dem Lupensymbol eine Liste einblenden, in der Sie den durchsuchten Zeitraum einschränken können.

Wenn Sie Ihre Termine zwar gerne elektronisch verwalten, aber zusätzlich eine gedruckte Kopie in Händen halten möchten, so bietet Ihnen die Funktion ***Drucken*** zahlreiche Möglichkeiten hierfür.

Im oberen Teil des Fensters können Sie – wie gewohnt – Ihren Drucker auswählen und dessen Einstellungen anpassen sowie im Bereich ***Kopien*** die Anzahl der Ausdrucke festlegen. Interessant sind die – unschön übersetzten – Bereiche ***Druckformat*** und ***Druckbereich***. Im ersten können Sie die Ansicht wählen, in der Sie Ihren Kalender gedruckt haben möchten. Die Liste hier entspricht der Auswahl des Punktes ***Ansicht*** im Hauptfenster, mit dem Sie zwischen Tag, Arbeitswoche, Woche und Monat wählen können. Dabei wird im Ausdruck auf einer Seite jeweils der gewählte Ansichtszeitraum optimal präsentiert.

Nun sollten Sie unter ***Druckbereich*** noch wählen, welchen Zeitbereich Ihr Ausdruck umfassen soll, also von welchem Startdatum (***Start***) bis zu welchem Enddatum (***Ende***). Nachdem Sie alles eingestellt haben, beginnen Sie den Ausdruck mit ***OK***.

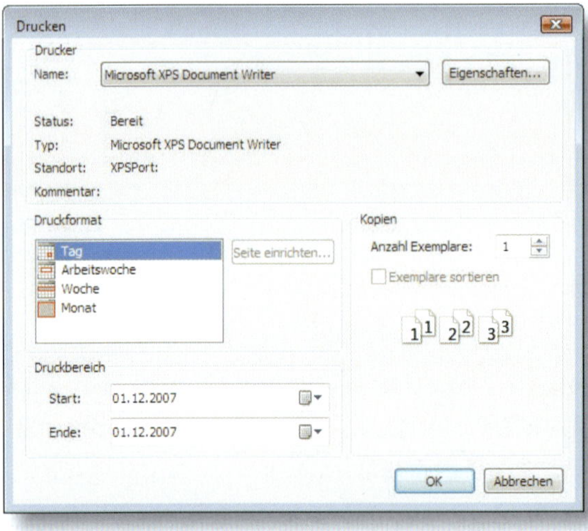

Über die Einstellungen zu Druckformat und Druckbereich bestimmen Sie, welche Ansicht und welcher Zeitraum dem Ausdruck zugrunde liegen.

5.4 WordPad

Die Anwendung WordPad ist eine vollständige Textverarbeitung, mit der Sie in Vista Dokumente aller Art einfach und schön gestalten können. WordPad finden Sie unter ***Start > Alle Programme > Zubehör > WordPad***.

Sie gelangen direkt auf eine leere Seite und können gleich anfangen loszuschreiben. Schreiben Sie am Ende einer Zeile einfach weiter, der Umbruch in die nächste Zeile geschieht automatisch. Damit Satzzeichen und ähnliche Auszeichnungssymbole richtig umbrechen, empfiehlt es sich, nach diesen ein Leerzeichen einzufügen.

Um die Breite einer Seite besser abschätzen zu können, wird oberhalb des Texteingabebereichs ein Lineal angezeigt.

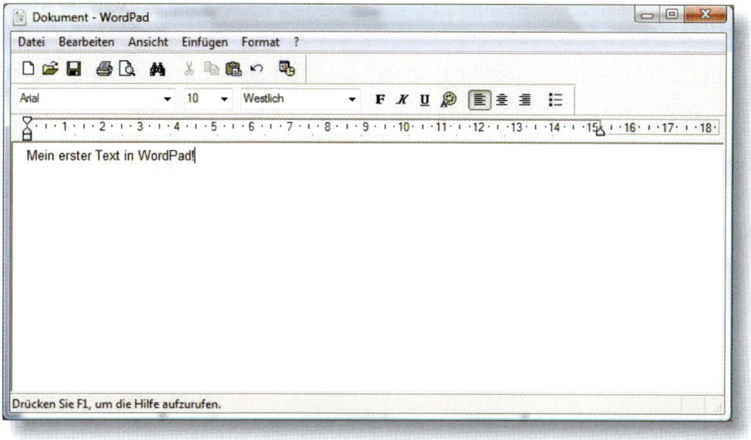

Das WordPad-Fenster mit einem ersten Satz.

!

TIPP Manche Zeichen wie €, @, {, [,], }, \ und ~ erreichen Sie erst durch so genanntes doppeltes Umschalten, d. h. durch gleichzeitiges Drücken der Taste *AltGr* und der entsprechenden Buchstabentaste.

5.4.1 *Datei- und Bearbeitungsfunktionen*

Sie finden die wichtigsten Funktionen als Symbolleiste direkt unterhalb des Menüs. Zusätzlich sind diese und noch weitere Funktionen unter den Menüpunkten ***Datei*** und ***Bearbeiten*** zu finden.

Die wichtigsten Datei- und Bearbeitungsfunktionen.

Von links nach rechts finden Sie hier folgende Funktionen:

- ***Neues Dokument:*** **Es wird ein leeres, neues Dokument angelegt. Sie haben hier die Wahl zwischen RTF-, Text- und Unicode-Dokument. Wählen Sie RTF für einen normalen Text, in dem Sie Formatierungen setzen können. Wenn Sie Ihr aktuelles Dokument geändert, aber noch nicht gespeichert haben, werden Sie vor dem Beenden gefragt, ob es gespeichert werden soll. Achtung: Wenn Sie hier auf „Nein" klicken, werden alle Ihre Änderungen endgültig verworfen.**

- ***Öffnen*** **zeigt Ihnen einen Auswahl-Dialog an. Er ermöglicht Ihnen das Auswählen einer bereits vorhandenen Textdatei, die dann geöffnet wird.**

- ***Speichern:*** **Ist der Text bisher noch nicht gespeichert, so werden Sie zunächst aufgefordert, einen Ort und einen Namen anzugeben, unter dem das Dokument gespeichert wird. Verwenden Sie hier einen aussagekräftigen Namen, am besten ohne Leerzeichen,**

> **!** **TIPP Speichern Sie lieber einmal zu oft als zu selten, denn ein ungespeicherter Text ist nach dem Schließen des Programms unwiderruflich verloren. Verwenden Sie auch die Funktion *Speichern unter…* aus dem Menü *Datei*, um bei längeren Dokumenten verschiedene Bearbeitungsstände zu sichern.**

z. B. Antwort_Finanzamt_2008_05_18. Wenn Sie den Text bereits gespeichert hatten, so bewirkt der Klick auf diese Funktion ein erneutes Speichern unter dem bisherigen Namen.

- *Drucken* sendet Ihr Dokument direkt an Ihren Drucker.

- *Seitenansicht* zeigt Ihnen eine Voransicht des Ausdrucks Ihres Textes. Wenn diese mehr als eine Seite umfasst, können Sie über *Vorherige* und *Nächste* durch die Seiten blättern.

- *Suchen:* Das Fernglas öffnet ein Fenster, in das Sie ein Wort (oder einen Textausschnitt) eingeben können, das dann in Ihrem Text gesucht wird. Die Ansicht springt im Dokument automatisch zu der gefundenen Stelle und der Treffer wird markiert, was gerade bei längeren Texten sehr hilfreich ist.

Die folgenden drei Symbole sind nicht immer aktiv. Sie erscheinen ausgegraut, wenn die zugehörige Funktion gerade nicht möglich ist.

- *Ausschneiden* übernimmt den markierten Textbereich in die Zwischenablage und löscht ihn aus dem Dokument. Sie können Ihn nun an anderer Stelle einfügen.

- *Kopieren* übernimmt den im Text markierten Bereich in die Zwischenablage, löscht ihn aber nicht aus dem Dokument. Sie können ihn nun an anderer Stelle zusätzlich einfügen.

- *Einfügen* fügt den Text aus der Zwischenablage an der Stelle der blinkenden Texteingabemarke ein. Der Inhalt der Zwischenablage wird dabei nicht gelöscht, d. h. Sie können den Text beliebig oft einfügen.

- Die nächste Funktion, *Rückgängig*, erlaubt es Ihnen, die zuletzt vorgenommenen Änderungen rückgängig zu machen. Sie können

diese Funktion mehrfach aufrufen und so Schritt für Schritt die letzten Aktionen widerrufen. Sollten Sie aus Versehen einen Abschnitt gelöscht haben, so kann diese Funktion ihn meist wieder herstellen.

- **Das letzte Symbol, *Datum*, öffnet ein Fenster, in dem Sie eine Liste mit Anzeigevarianten des aktuellen Datums sehen. Wählen Sie hier eine Variante aus, so wird diese an der Stelle der Eingabemarke eingesetzt, z. B. in Briefen.**

5.4.2 Formatierungen

Um Texte interessanter und ansprechender zu gestalten oder auch um bestimmte Textteile hervorzuheben, gibt es die so genannten Formatierungssymbole.

Die Formatierungsmöglichkeiten unterteilen sich in drei Bereiche.

Um eine Formatierung – wie beispielsweise Fettung oder Unterstreichung – anzuwenden, müssen Sie zunächst festlegen, auf welchen Bereich des Textes diese angewendet werden soll.

- **Um ein einzelnes Wort zu markieren, führen Sie einen Doppelklick auf diesem Wort aus.**
- **Um einen Bereich (von einem einzelnen Buchstaben bis zu mehreren Seiten) zu markieren, klicken Sie mit der linken Maustaste auf dessen Beginn und ziehen Sie den Mauszeiger mit gedrückter linker Maustaste bis zum Ende des Bereichs.**
- **Um den gesamten Text zu markieren, können Sie *Bearbeiten > Alles markieren* anklicken.**

Der markierte Bereich „erster Text“ wird farblich gekennzeichnet.

> **!** **TIPP Wenn kein Bereich ausgewählt ist, so gelten die eingestellten Formatierungen für alles, was Sie ab der Texteinfügemarke neu schreiben.**

Nachdem Sie nun einen Bereich markiert haben, können Sie Formatierungen setzen.

Mit diesen Einstellungen bestimmen Sie Schriftart und -größe. Klicken Sie auf den schwarzen Pfeil hinter dem Wort ***Arial***, um eine Liste der vorhandenen Schriftarten anzeigen zu lassen. Die angezeigten Begriffe (Arial, Times New Roman etc.) sind die Namen der Schriften, die Sie durch einen Klick auswählen können.

Die Zahl im nächsten Feld gibt an, wie groß die Schrift sein soll. 10 Punkt, wie in diesem Beispiel, entspricht im Ausdruck in etwa einer normalen Schreibmaschinen-Schriftgröße. Sie können jedoch für Überschriften und Hervorhebungen auch größere Schriftgrößen verwenden

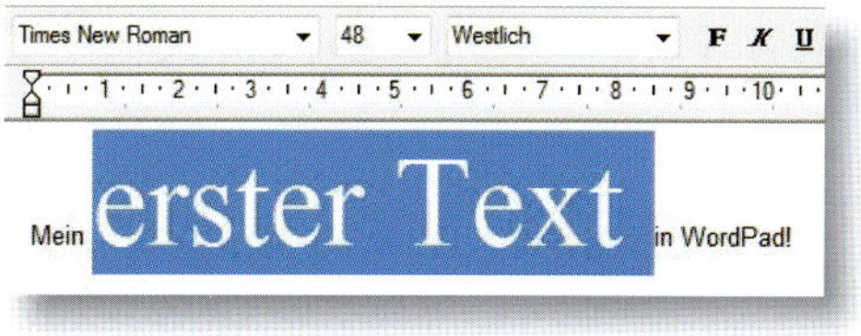

Ein extremes Beispiel: Der markierte Bereich wurde auf die Schrift Times New Roman in 48 Punkt umformatiert.

> **!** **TIPP Beim Computer stehen Ihnen viel mehr Formatierungsmöglichkeiten als bei der Schreibmaschine zur Verfügung. Der Einsatz vieler verschiedener Stile und Schriften macht Texte jedoch unübersichtlich und schwer lesbar.**

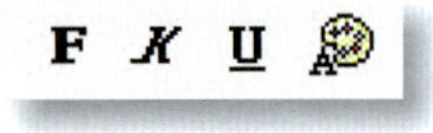

Diese Symbole erlauben Ihnen weitere Hervorhebungen.

- **F steht für *Fett* und lässt die Schrift breiter und „dicker" erscheinen.**
- **K steht für *Kursiv* und lässt die Schrift gekippt erscheinen.**
- **U steht für *Unterstrichen* und zieht eine Linie unter den Wörtern.**
- **Das letzte Symbol öffnet eine Liste, in der Sie die Farbe des Textes ändern können.**

Mit Hilfe der letzten Symbolgruppe kann die Ausrichtung des markierten Textes eingestellt werden. Das ist nur möglich, wenn Sie mindestens zwei Zeilen markiert haben. Sie haben hier von links nach rechts die Wahl zwischen linksbündig, zentriert und rechtsbündig.

Die Schaltfläche ganz rechts verwandelt jeden markierten Absatz in einen Listenpunkt, der eingerückt und durch einen vorangestellten schwarzen Punkt markiert ist.

!

TIPP Experimentieren Sie ruhig ein wenig mit den Formatierungen. Sie können sich die Ergebnisse über die Seitenvoransicht wie im Druck ansehen, ohne jedes Mal Ihren Drucker bemühen zu müssen.

5.5 Windows Media Player

Der Windows Media Player ist Ihre Anlaufstelle, wann immer es um Musik und Video geht. Er wurde in der Version 11 für Windows Vista vollständig überarbeitet und in Aussehen und Funktion auf die Windows-Fotogalerie abgestimmt. Sie finden den Windows Media Player unter *Start > Alle Programme > Windows Media Player*.

Mit dem Media Player können Sie – ähnlich wie mit der Fotogalerie – Musik- und Videodateien nicht nur wiedergeben, sondern sie auch verwalten und auf CD und DVD brennen.

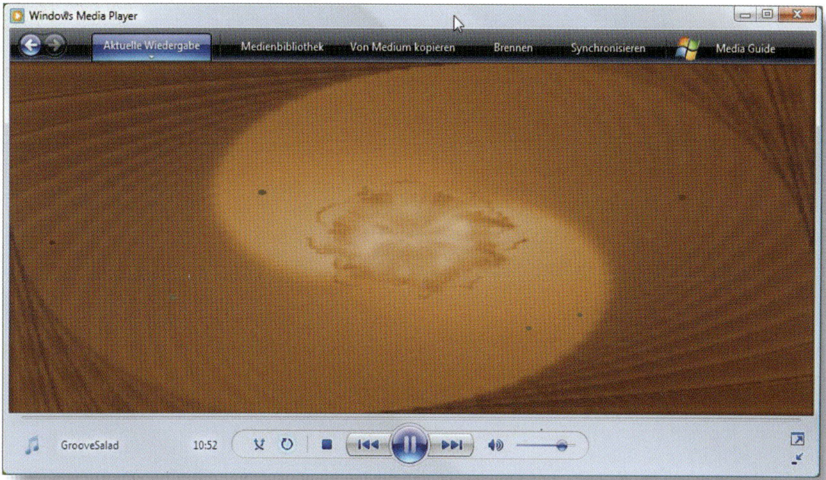

Der Windows Media Player bei der Wiedergabe einer Internet-Radiosendung.

TIPP Versteckt in einem kleinen Kasten am Rand befindet sich auf der Media-Guide-Seite der interessanteste Punkt: ***Internetradio*****. Durch Auswählen dieses Links erhalten Sie Zugang zu einer Liste mit vielen tausend kostenfreien Internet-Radiosendern aus aller Welt!**

5.5.1 *Bedienelemente*

Der Windows Media Player verfügt je nach ausgewählter Funktion über verschiedene Ansichten. Die folgenden zentralen Elemente bleiben jedoch immer vorhanden:

Mit der Menüleiste können Sie bestimmen, welche Ansicht der Media Player zeigt.

Die beiden Pfeile ganz links erlauben das Blättern in den bisherigen Aktionen. Durch einen Klick auf den Zurück-Pfeil gelangen Sie wieder zur vorangegangenen Ansicht. ***Aktuelle Wiedergabe*** ist dabei die Ansicht, in der Sie Musik und Videos finden, die gerade (aktuell) abgespielt werden. In der ***Medienbibliothek*** verwalten Sie Ihre Mediendateien. ***Von Medium kopieren*** ermöglicht es, CDs einzulesen und im platzsparenden MP3- oder WMA-Format auf Ihrem Computer zu speichern. Über ***Brennen*** können Sie eine Audio-CD zum Anhören auf Ihrem CD-Player oder eine Daten-CD zur Archivierung von Daten erstellen. ***Synchronisieren*** erlaubt Ihnen den Abgleich Ihres Computers mit einem MP3-Player oder anderen Audiogerät. Der Punkt ***Media Guide*** schließlich stellt eine Verbindung zum Internet her und zeigt in einer Übersichtsseite Medien an, die Sie teilweise direkt kaufen oder herunterladen können.

Der mittlere Fensterbereich ändert sich mit der gewählten Funktion, der untere Bereich bleibt jedoch unverändert und enthält eine Variante der schon bekannten Fernbedienungsleiste.

Die Fernbedienungsleiste des Windows Media Players.

Am oberen Rand der Leiste sehen Sie einen ***Fortschrittsbalken***, wobei der dunkelblaue Teil die bereits abgespielte Zeit, der noch offene Teil die verbleibende Spielzeit darstellt. Wenn Sie mit der Maus über diesen Balken fahren, erhält er einen kleinen Knopf. Dieser Knopf befindet sich an der aktuellen Abspielposition. Durch Anklicken und Verschieben können Sie direkt zu einer Stelle im Video oder Musikstück springen. Darunter befinden sich im Beispiel links das Albumcover und die abgespielte Zeit.

> **TIPP Durch Anklicken der Zeitangabe und des Albumcovers können Sie diese Anzeigen ändern und sich z. B. die verbleibende Zeit oder den Interpreten anzeigen lassen.**

Rechts neben diesen Angaben finden Sie die Symbole für ***Zufallswiedergabe*** (die ausgewählten Dateien werden vor dem Abspielen neu gemischt) und ***Wiederholung*** (die ausgewählten Dateien werden unendlich oft abgespielt).

Die weiteren Knöpfe für ***Stopp***, ***Vorangegangener Titel***, ***Abspielen/Pause*** und ***Nächster Titel*** sind selbsterklärend. Rechts daneben befindet sich ein Lautsprecher-Symbol für die Stummschaltung und ein Schieberegler für die Lautstärkeneinstellung.

Vor allem wenn Sie Musik über den Media Player abspielen, ist das unscheinbare Symbol in der Fensterecke interessant, da Sie mit ihm zu einer verkleinerten Ansicht umschalten können.

Wenn Sie das Symbol erneut anklicken, so erhält der Media Player wieder sein ursprüngliches Aussehen.

Eine Besonderheit im Media Player ist das ***Minimieren***-Symbol des Fensters. Dieses erlaubt es Ihnen, den Player mit den wichtigsten Bedienelementen in die Startleiste hinein zu verkleinern.

Der minimierte Media Player in der Startleiste.

Wenn Sie mit dem Mauszeiger über die minimierte Version streichen, werden weitere Informationen eingeblendet. Zurück zur normalen Version gelangen Sie durch Klick auf das ***Wiederherstellen***-Symbol.

5.5.2 Medienverwaltung und -import

In der ***Medienbibliothek*** verwalten Sie Ihre Musik und Videos. Sie können hier – wie in der Fotogalerie – nach verschiedenen Kriterien stöbern und Wiedergabelisten beispielsweise Ihrer Lieblingslieder erstellen.

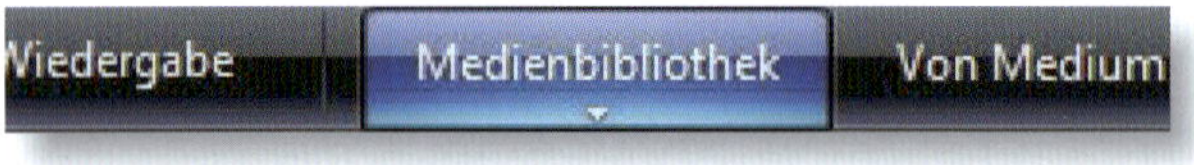

Rufen Sie die Medienbibliothek durch einen Klick in die Menüzeile auf.

Windows Vista bringt Ihnen zum ersten Experimentieren mit den Funktionen praktischerweise gleich einige Beispielmusikstücke mit. Nach dem Umschalten zur Medienbibliothek-Ansicht sehen Sie diese zunächst als Liste mit Albumcover – wenn vorhanden – und den weiteren Zusatzinformationen.

Wie auch schon in der Fotogalerie können Sie hier Wertungen vergeben und so später ganz einfach alle Ihre Lieblingslieder abspielen lassen.

Durch die Liste links von der Musikliste können Sie die Sortierung bzw. Gruppierung der Anzeige verändern. Möchten Sie beispiels-

Beispielmusik nach Titeln je Interpret sortiert.

Die Musikstücke nach Erscheinungsjahr organisiert.

weise alle Lieder zu einem bestimmten Jahr anzeigen, so klicken Sie einfach auf den Punkt ***Jahr*** in der Liste auf der linken Seite und die Ansicht ändert sich entsprechend.

Zusätzlich können Sie die gleiche Ansichten- und Suchfunktion wie in der Windows-Fotogalerie verwenden, die Sie oberhalb der Listenanzeige wiederfinden.

Wie Sie sehen, sind eigene Bereiche für jedes Jahrzehnt durch Trennstriche separiert. Innerhalb eines Bereichs sind alle Stücke bzw. Alben eines Jahres zusammengefasst. Ist bei einem Jahr lediglich ein Album vorhanden, so wird nur dessen Cover angezeigt; sind jedoch mehrere Alben vorhanden, so wird dies durch einen angedeuteten Album-Stapel kenntlich gemacht (im Beispiel ist dies bei 2005 der Fall). Durch einen Doppelklick auf das Albumcover bzw. den Stapel gelangen Sie wieder zur Listenansicht.

Musik ist sicherlich der Hauptzweck des Media Players, er kann jedoch auch ***Bilder***, ***Videos*** und (wenn Ihr Computer dies unterstützt) sogar ***TV-Aufzeichnungen*** verwalten und wiedergeben.

Um auszuwählen, welche Medienart gerade für Sie interessant ist, klicken Sie diesmal nicht auf den oberen Teil des Knopfes ***Medienbibliothek***, sondern auf das kleine Dreieck darunter. Nun öffnet sich ein Untermenü, in dem Sie die Medienart auswählen können. Wählen Sie ***Bilder*** oder ***Video***, so verhält sich der Media Player identisch zur Windows-Fotogalerie.

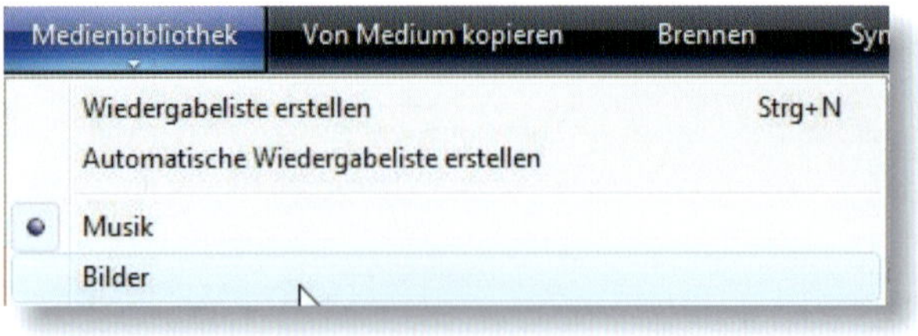

Musik von CDs importieren

Wie gelangen nun aber die Musikstücke auf Ihren Computer? Hier gibt es verschiedene Möglichkeiten:

1. ***Kopieren vorhandener CDs*** **auf Ihren Computer.**

2. ***Herunterladen aus dem Internet:*** **War im Internet zu Beginn des Jahrzehnts noch fast ausschließlich illegal kopierte Musik (so genannte**

Raubkopien) zu finden, so kann man heute über viele Online-Shops Musik legal erwerben und teilweise direkt auf den eigenen Computer herunterladen.

❸ ***Herunterladen* von aufgezeichneten Sendungen (sog. *Podcasts*)**

Für die meisten ist sicherlich Punkt 1 am interessantesten. Die von der CD übernommenen Musikstücke können zu neuen Wiedergabelisten zusammengestellt oder z. B. als weitere CDs für den privaten Gebrauch gebrannt werden.

Wählen Sie zum Importieren ***Von Medium kopieren*** und legen Sie eine Audio-CD ein. Je nach Einstellung beginnt der Kopiervorgang sofort. Es empfiehlt sich, diesen mit ***Kopieren beenden*** abzubrechen und zunächst die Informationen über die eingelegte CD aus dem Internet herunterzuladen, damit bei allen Stücken Titel, Interpret und Jahr automatisch hinzugefügt werden können. Zu diesem Zweck klicken Sie mit der ***rechten Maustaste*** auf das CD-Symbol und wählen im erscheinenden Kontext-Menü ***Albuminformationen suchen*** aus.

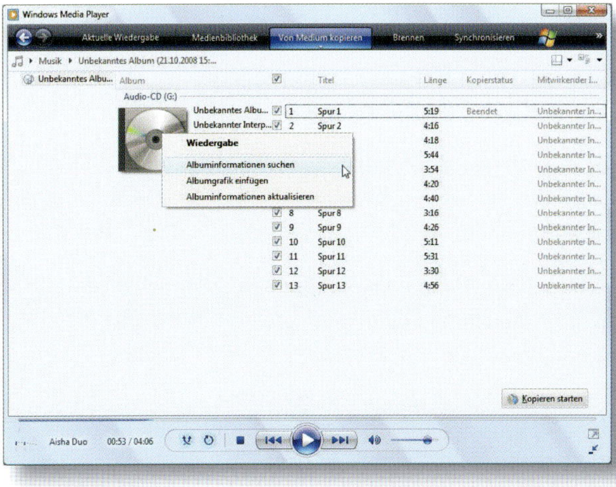

Vor dem Kopieren auf Ihren Computer empfiehlt es sich, die Albuminformationen aus dem Internet einzuholen.

Ihre CD wird analysiert und eine Liste mit möglichen Übereinstimmungen angezeigt, aus der Sie die richtige CD auswählen können. Leider klappt dies nicht immer. Sie können den Titelnamen dann an dieser Stelle oder später unter ***Medienbibliothek*** eintragen oder ändern. Mit ***Kopieren starten*** beginnen Sie den Übertragungsvorgang. Das Ergebnis sind komprimierte Audiodateien hoher Qualität, die auch auf tragbaren Audiogeräten (MP3-Player) verwendet werden können.

Haben Sie bereits Mediendateien (Audios, Videos oder Bilder) auf Ihrem Computer und möchten Sie diese in den Media Player übernehmen, klicken Sie wieder auf das kleine Dreieck unter ***Medienbibliothek*** und dann auf ***Zur Medienbibliothek hinzufügen***. Wählen Sie nun noch wie gewohnt den Ordner auf Ihrem Computer aus, in dem sich die Dateien befinden, und schon werden diese dem Media Player hinzugefügt.

5.5.3 Wiedergabelisten

Wiedergabelisten sind eine von Ihnen zusammengestellte Sammlung von Mediendateien, zum Beispiel eine Musiksammlung für Sonntagnachmittage. Dabei können Sie Anzahl und Reihenfolge der Lieder selbst bestimmen. Wiedergabelisten kann man also mit selbst erstellten CDs vergleichen (und wie Sie später sehen werden, kann man genau so tatsächlich CDs erstellen).

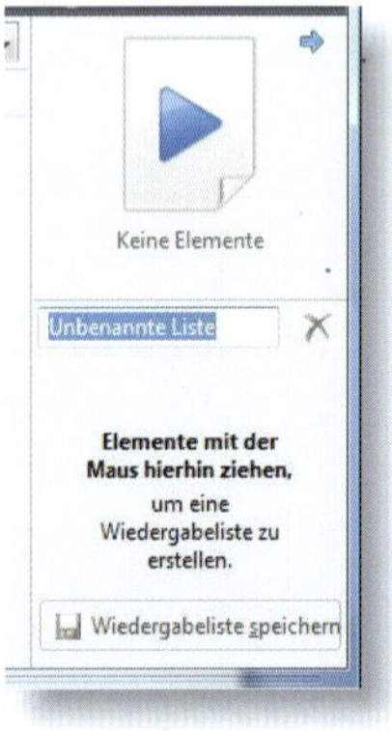

Anlegen einer Wiedergabeliste.

Zum Erstellen einer Wiedergabeliste klicken Sie auf das kleine Dreieck unter ***Medienbibliothek*** und dann auf ***Wiedergabeliste erstellen***.

Auf der rechten Seite erscheint nun ein neuer Bereich mit einem Textfeld, in das Sie einen passenden Namen („Sonntagnachmittag“) für Ihre neue Wiedergabeliste eintragen können. Bestätigen Sie diesen mit der ***Eingabe***-Taste.

Gehen Sie nun zu einer Ansicht derjenigen Lieder, die Sie hinzufügen möchten (z. B. über ***Interpret*** oder ***Jahr***) und ziehen Sie die gewünschten Musiktitel mit der Maus in den Bereich unterhalb des Namens, den Sie gerade eingegeben haben. Dafür klicken Sie einen Titel mit der linken Maustaste an, halten diese gedrückt und bewegen nun bei gedrückter Maustaste den Mauszeiger. Nach dem Hinzufügen einiger Titel kann Ihre Wiedergabeliste so aussehen:

Diese Wiedergabeliste können Sie nun abspielen lassen, die Reihenfolge der Titel durch Verschieben verändern oder bestimmte Titel entfernen (klicken Sie dazu mit der rechten Maustaste auf den betreffenden Titel und wählen Sie ***Aus Liste entfernen***).

Um die gesamte Liste zu verwerfen, klicken Sie auf das rote ***X*** neben dem Titel der Wiedergabeliste. Die Musikstücke selbst werden dadurch nicht gelöscht, nur ihre Zuordnung zur Liste.

5.5.4 Audio-CDs brennen

Nachdem Sie selbst eine Sammlung von Musikstücken zusammengestellt haben, können Sie diese ganz einfach als Audio-CD brennen und auf jedem CD-Player abspielen. Für diese Funktion klicken Sie in der Menüleiste auf *Brennen*, woraufhin am rechten Fensterrand eine neue Spalte erscheint.

> **TIPP Um Fotos oder Videos weiterzugeben, können Sie diese ebenfalls auf eine CD brennen, allerdings nicht im Format Audio-CD, sondern als Daten-CD. Klicken Sie hierfür auf das kleine Dreieck unter** *Brennen* **und wählen Sie** *Daten-CD oder -DVD* **aus. Vergessen Sie nicht, nach dem Brennen wieder auf Audio-CD umzustellen.**

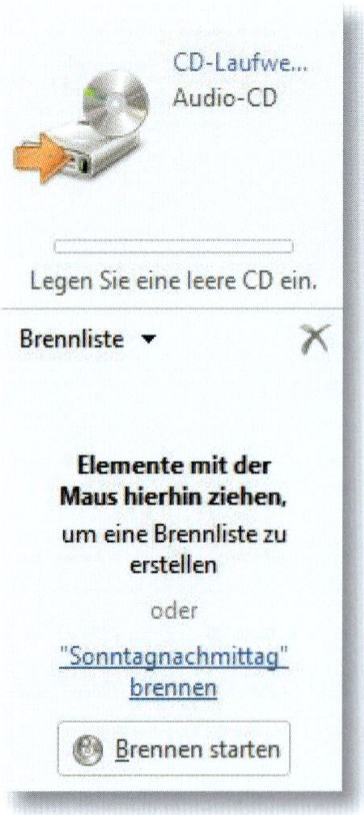

In der Brennliste legen Sie fest, was auf die CD kommt.

Hier steht bereits die zuvor angelegte Wiedergabeliste ***Sonntagnachmittag*** zur Auswahl. Wenn diese gebrannt werden soll, müssen Sie lediglich eine leere beschreibbare CD (einen sog. Rohling) einlegen und auf den Link ***„Sonntagnachmittag" brennen*** klicken. Sie bekommen dann die Liste noch einmal zur Kontrolle gezeigt und können mit einem Klick das ***Brennen starten***.

Alternativ können Sie auch direkt Musiktitel in den Bereich Brennliste ziehen, ohne eine Wiedergabeliste anzulegen, und diese Titel als Audio-CD brennen.

5.6 Windows-Sidebar

Die Windows-Sidebar (engl. „Seitenleiste") ist eine in Windows Vista neu hinzugekommene Funktion. Diese Seitenleiste ist für praktische Mini-Anwendungen gedacht, von denen auch gleich einige mitgeliefert werden. Die Anwendungen bleiben immer im Blick und präsentieren Informationen wie Zeit, Wetter oder Börsenkurse oder helfen beispielsweise beim schnellen Finden von Telefonnummern.

Die Windows-Sidebar mit den Mini-Anwendungen Bildbetrachter, Kalender, Uhr und Notizen.

Starten Sie die Windows-Sidebar über ***Start > Alle Programme > Zubehör > Windows-Sidebar***. Die Sidebar merkt sich ihre Position und den Zustand aller Mini-Anwendungen, die zu ihr gehören.

Als Erstes fällt auf, dass die Sidebar kein normales Fenster ist, sondern ebenso wie die in ihr enthaltenen Mini-Anwendungen auf dem Desktop zu schweben scheint. Tatsächlich können die Mini-Anwendungen sogar aus der Sidebar herausgezogen und beliebig auf dem Desktop platziert werden.

Eventuell ist beim ersten Start Ihre Sidebar noch leer und die Mini-Anwendungen müssen erst aktiviert werden. Klicken Sie hierzu auf des „+“-Symbol oben in der Sidebar. Daraufhin öffnet sich ein Fenster mit der Übersicht der vorhandenen Mini-Anwendungen.

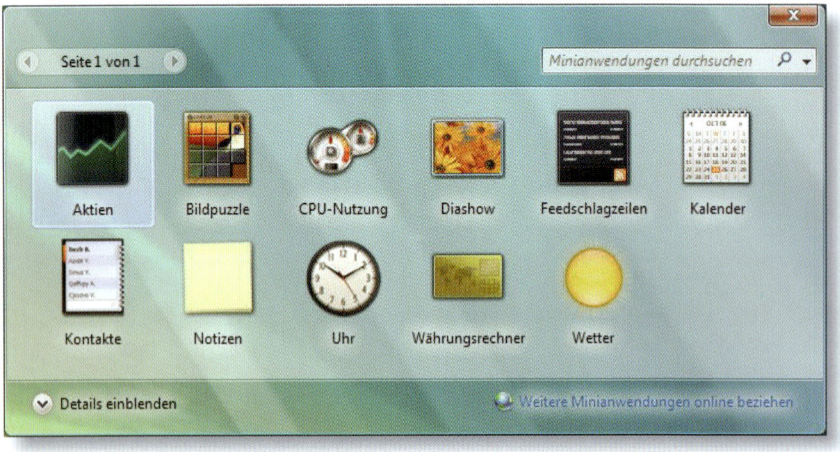

Übersicht der mitgelieferten Mini-Anwendungen.

Um eine Anwendung zu öffnen, klicken Sie einfach doppelt auf das Symbol und sie erscheint auf dem Desktop. Die Einstellungen und Funktionen der Mini-Anwendungen werden hier beispielhaft anhand der Notizen-Anwendung erklärt, da die anderen Anwendungen genauso eingestellt und benutzt werden können.

> **TIPP** **Weitere kostenlose Mini-Anwendungen finden Sie im Internet, indem Sie auf den Link** *Weitere Minianwendungen online beziehen* **rechts unten im Übersichtsfenster klicken.**

Zum Hinzufügen der Mini-Anwendung ***Notizen*** führen Sie auf diese im Übersichtsfenster einen Doppelklick aus. In der Seitenleiste erscheint ein Stapel leerer Notizzettel.

Die Mini-Anwendungen der Sidebar zeigen ihre Bedienelemente in der Regel erst an, wenn Sie mit dem Mauszeiger darauf fahren.

Da die Mini-Anwendungen nicht wie gewöhnliche Fenster über Titelleiste oder Buttons verfügen, sondern grafisch gestaltet sind, sind die Bedienelemente nicht immer sichtbar. Um sie einzublenden, fahren Sie mit dem Mauszeiger über den Notizzettel und Sie sehen rechts ein x, einen Werkzeugschlüssel und eine gepunktete Fläche sowie auf dem Notizzettel selbst ein Plus und ein ausgegrautes x.

Die Elemente auf der Mini-Anwendung selbst unterscheiden sich von Anwendung zu Anwendung. In diesem Fall dient das + dazu, ein neues Blatt auf dem Notizblock hinzuzufügen. Das ***x*** löscht den gerade angezeigten Notizzettel, wenn dieser Text enthält.

Die Elemente am rechten Rand der Notizen-Anwendung sind bei allen Mini-Anwendungen vorhanden:

- ***x*** **schließt die Mini-Anwendung.**
- **Der *Werkzeugschlüssel* ruft die Optionen der Mini-Anwendung auf.**
- **Die *gepunktete Fläche* ist eine Griff-Fläche und ermöglicht das Verschieben der Anwendung, sowohl innerhalb der Sidebar als auch auf den Desktop und wieder zurück.**

Klicken Sie nun auf den Werkzeugschlüssel, um das Optionenfenster aufzurufen, das alle Einstellmöglichkeiten der jeweiligen Mini-Anwendung bereitstellt. Im Fall der Notizen sind dies lediglich die Auswahl der Schriftart und -größe sowie die Pfeile zum Blättern („1 von 6"). Mit diesen Pfeilen können Sie das Aussehen (hier: die Papierfarbe der Notizzettel) ändern. Sie finden unter anderem bei der Uhren-Anwendung das gleiche Bedienelement.

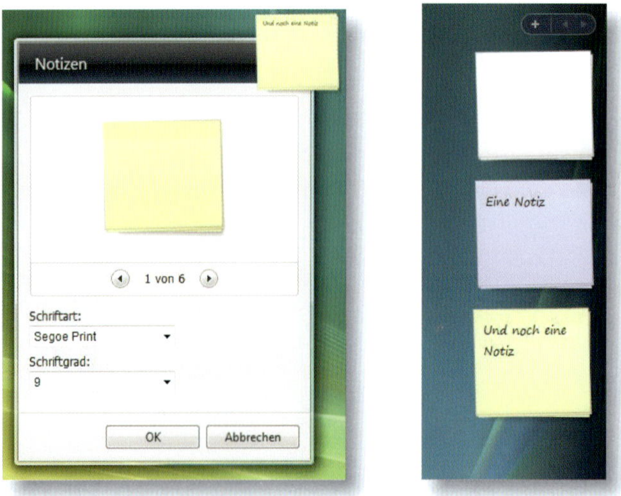

Das Optionenfenster stellt auch verschiedene Papierfarben bereit.

Da jede Mini-Anwendung beliebig oft gestartet und individuell platziert und eingestellt werden kann, ist es möglich, mehrere Notizstapel mit verschiedener Papierfarbe anzulegen, wie im Bild gezeigt.

> **!** **TIPP Sie müssen nicht erst Ihre Fenster minimieren, um die Anwendungen der Sidebar auf dem Desktop nutzen zu können. Drücken Sie einfach die Kombination *Windows*-Taste + *Leertaste*, um alle Mini-Anwendungen nach vorne zu holen.**

Hier eine kurze Übersicht der mitgelieferten Mini-Anwendungen:

- ***Aktien*** **zeigt aktuelle Börsenkurse von Indizes oder Einzelwerten an, wenn eine Internetverbindung besteht.**
- ***Bildpuzzle*** **ist ein kleines Logikspiel, bei dem eines von elf Bildern aus einzeln verschiebbaren Blöcken möglichst schnell wieder zusammengebaut werden muss.**
- ***CPU-Nutzung*** **zeigt die aktuelle Auslastung Ihres Computers in punkto Arbeitsspeicher und Rechenleistung an.**
- ***Diashow*** **startet eine kleine Diavorführung. Die Bilder und Übergangseffekte können Sie selbst festlegen.**
- ***Feed-Schlagzeilen*** **holt sich über eine Internetverbindung aktuelle Meldungen im RSS-Format (z. B. vom „Spiegel"-Magazin) und zeigt diese an.**
- ***Kalender*** **enthält einen kleinen Taschenkalender.**
- ***Kontakte*** **erlaubt die schnelle Suche und Anzeige von Kontakten aus der Anwendung Windows-Kontakte.**

- *Notizen* erlaubt das Anlegen von kleinen Heftnotizen auf dem Bildschirm.
- *Uhr* zeigt eine Analoguhr an. Sie können aus einer von acht Uhrentypen wählen und die Zeitzone und Beschriftung festlegen.
- *Währungsrechner* blendet einen kleine Währungsrechner mit aktuellen Kursen gängiger Währungen ein (Internetverbindung vorausgesetzt).
- *Wetter* zeigt das aktuelle Wetter an frei wählbaren Orten weltweit ggf. zusammen mit einer Vorhersage an (Internetverbindung vorausgesetzt).

> **!** **TIPP** Wenn Sie eine internationale Mini-Anwendung installiert haben, sich diese aber nicht öffnen lässt, so können Sie folgendermaßen vorgehen: Öffnen Sie den Windows Explorer und wählen Sie dort auf derselben Festplatte, auf der Vista installiert ist, den Ordner *Programme* und dort den Unterordner *Windows Sidebar*. Hier finden Sie im Ordner *Gadgets* den Unterordner der nicht funktionierenden Mini-Anwendung und in diesem wiederum den Sprachordner *en-US* (oder ähnlich). Benennen Sie diesen Sprachordner in *de-DE* um. Beenden und starten Sie die Sidebar dann erneut. Nun sollte es möglich sein, die neue Mini-Anwendung zu öffnen.

6 Online-Grundlagen

6.1 Sicherheit

Bevor Sie sich in die große weite Welt des Internets stürzen, sollten Sie einige Sicherheitshinweise beachten, die Sie vor unangenehmen Überraschungen bewahren.

6.1.1 Das Windows-Sicherheitscenter

Das Sicherheitscenter von Windows erreichen Sie über ***Startmenü > Systemsteuerung > Sicherheit***. Es überprüft automatisch den Status der wichtigsten Sicherheitskomponenten: Firewall, Automatische Updates, Virenschutz, Spyware-Schutz, Benutzerkontensteuerung und Interneteinstellungen.

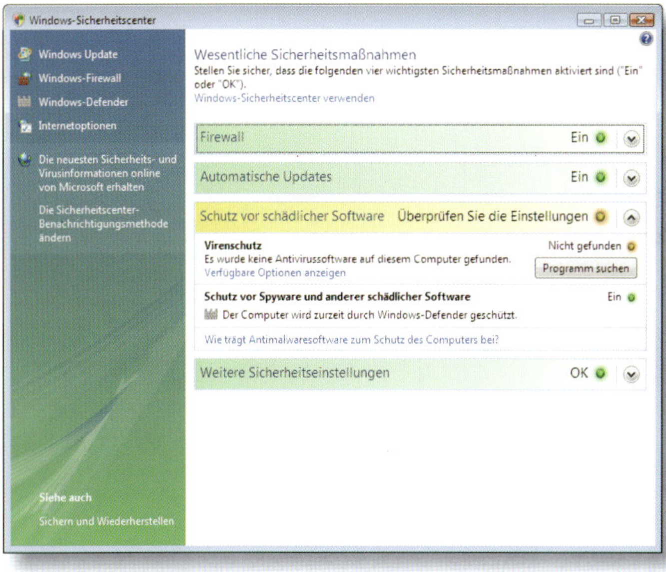

Wenn alle Komponenten in einem sicheren Zustand sind, werden diese in grün dargestellt. Falls Vista ein Problem erkannt hat, erhalten Sie eine Benachrichtigung sowie eine Liste mit empfohlenen

Schritten, um Ihren Computer zu schützen. Das Sicherheitscenter verfügt über folgende Komponenten:

6.1.2 *Die Windows-Firewall*

Die Windows-Firewall (engl. für „Brandmauer") ist das Sicherheitssystem Ihres Rechners. Sie ist automatisch aktiviert und verhindert den Zugriff durch nicht autorisierte Benutzer auf den Computer über ein Netzwerk bzw. das Internet. Sie sollten diesen Schutz unbedingt immer aktiviert lassen.

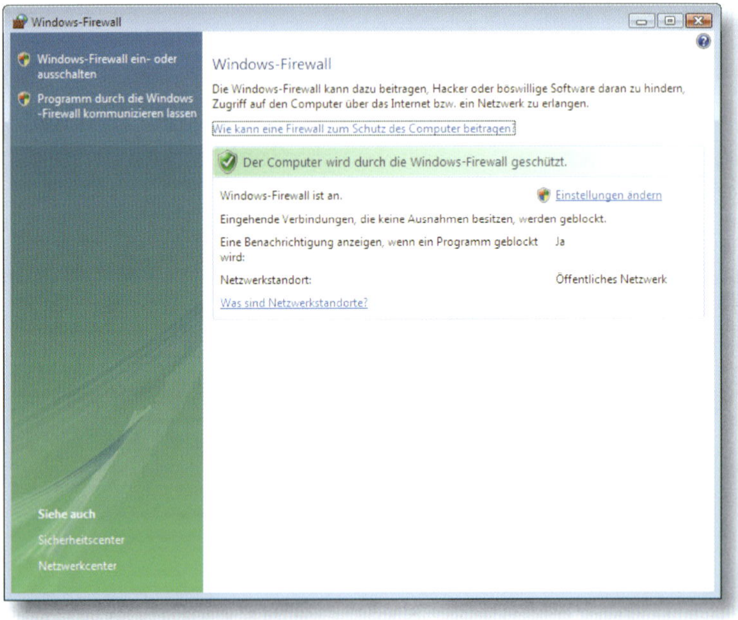

6.1.3 *Der Windows-Defender*

Der in Windows Vista integrierte Windows-Defender (von engl. to defend, „verteidigen") schützt vor unerwünschter Spy-, Ad- und Malware. Der Defender arbeitet wie die Firewall automatisch im Hintergrund. Sie können Ihren Rechner jedoch auch manuell auf mögliche Schädlinge überprüfen. Klicken Sie im Defender auf ***Überprüfung***, falls Sie vermuten, dass Ihr Computer mit Spyware infiziert sein könnte.

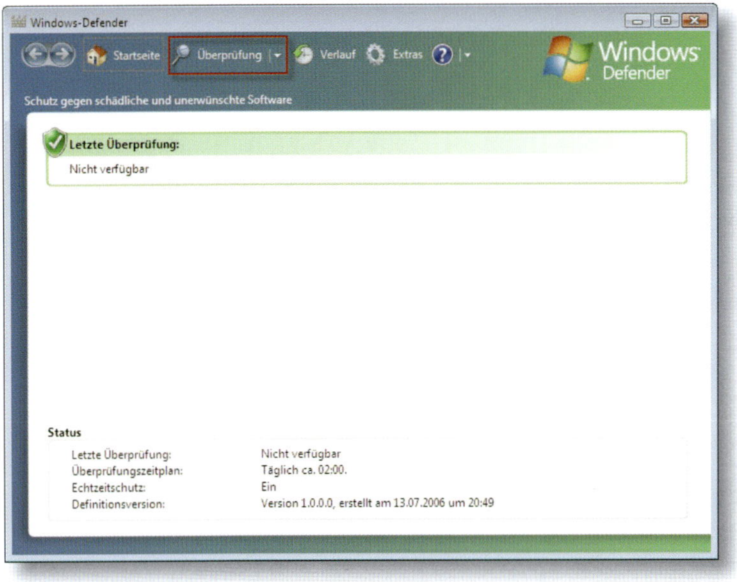

6.1.4 Das Windows Update

Um vorhandene Sicherheitslücken in Windows zu schließen, veröffentlicht Microsoft regelmäßig so genannte Updates, die in Vista automatisch installiert werden. Um zu überprüfen, ob Ihr Betriebs-

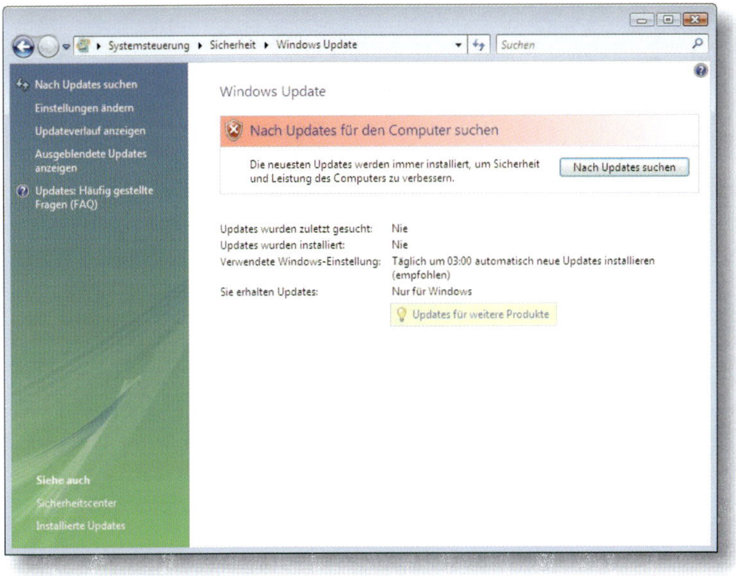

system auf dem neuesten Stand ist, klicken Sie im Sicherheitscenter auf *Windows Update*. Das folgende Informationsfenster zeigt Ihnen, auf welchem Stand Vista ist, ob eventuell noch Updates ausstehen, und wann zuletzt Updates installiert wurden. In diesem Bereich sollten Sie als Einsteiger keine Änderungen vornehmen, sondern die automatische Update-Funktion aktiviert lassen.

6.1.5 Virenschutz

Vista hat zahlreiche Schutzfunktionen schon eingebaut, eine Anti-Viren-Software müssen Sie allerdings selbst installieren. Auf dem Markt gibt es zahlreiche gute, kostenlose Virenscanner. Eines der beliebtesten Gratis-Programme ist „AntiVir" von Avira. Nachfolgend erhalten Sie eine Schritt-für-Schritt-Anleitung, wie Sie sich diesen Scanner auf Ihren PC herunterladen:

1. **Geben Sie in der Adresszeile Ihres** Browsers ***www.free-av.de*** **ein (*1*) und klicken Sie dann auf das Bild *Kostenfreies AntiVir downloaden* (*2*).**

❷ Klicken Sie auf die Grafik im Kasten *Empfohlener Download-Partner*.

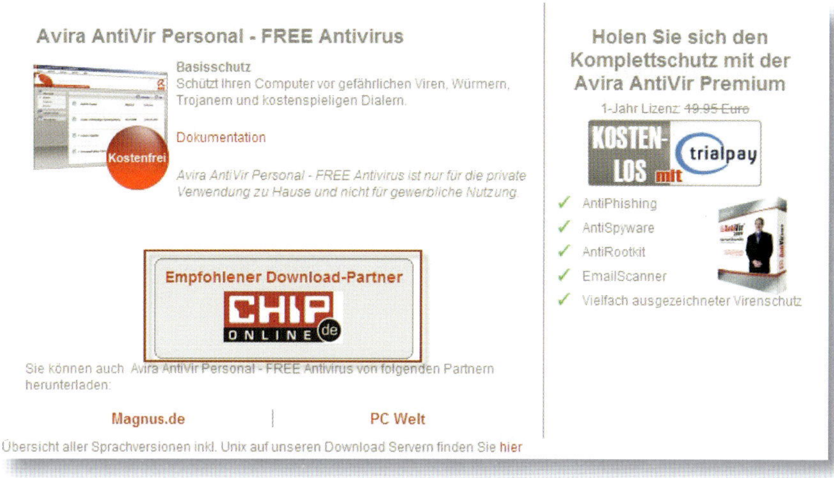

❸ Sie werden nun auf die Seite des Download-Partners weitergeleitet. Klicken Sie auf *Download* bzw. *Zum Download*.

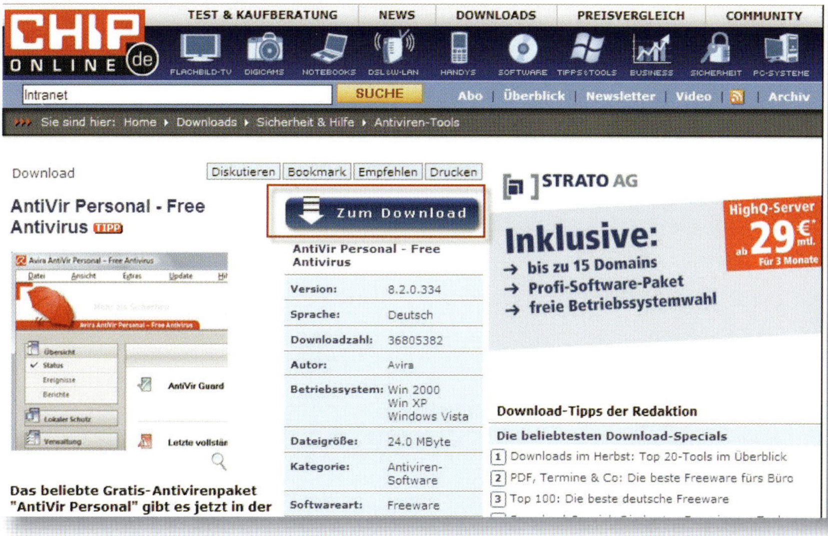

❹ Anschließend öffnet sich ein kleines Fenster, in dem Sie gefragt werden, ob Sie die Datei ausführen oder speichern wollen. Klicken Sie auf *Ausführen*.

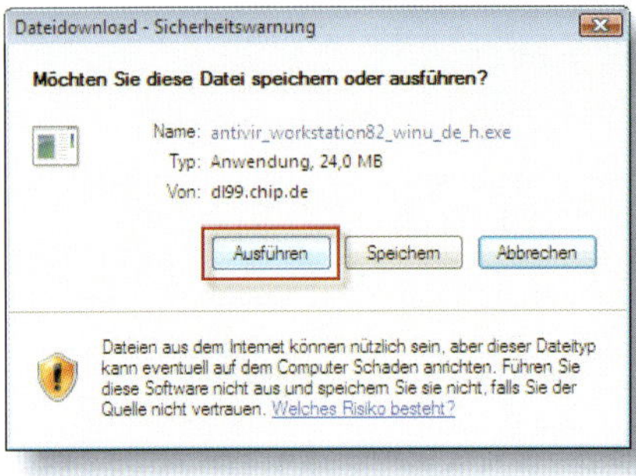

5 Im nächsten Fenster akzeptieren Sie den Hinweis von Avira durch einen Klick auf *Annehmen*.

6 Nun heißt Sie der Installationsassistent willkommen. Klicken Sie auf *Weiter* und danach erneut auf *Weiter*.

7 Schließlich müssen Sie den Lizenzvertrag durch einen Klick in das Kästchen *Ich akzeptiere die Bedingungen der Lizenzvereinbarung* (*1*) annehmen und anschließend auf *Weiter* (*2*) klicken.

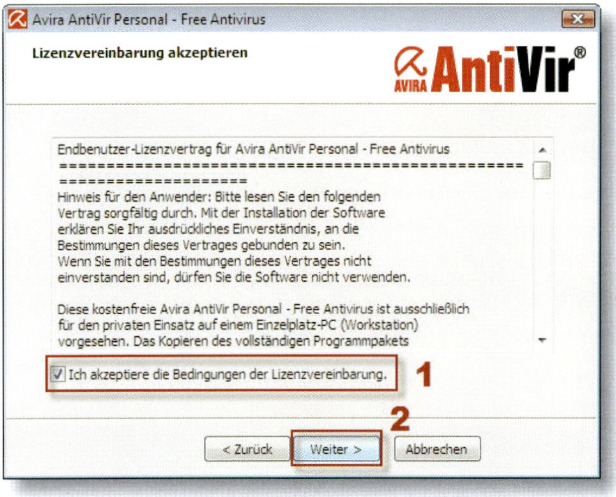

8 Zu guter Letzt bestätigen Sie mit einem Klick in das entsprechende Kästchen, dass Sie die kostenlose Anti-Viren-Software nur privat nutzen (*1*). Klicken Sie auf *Weiter (2)*.

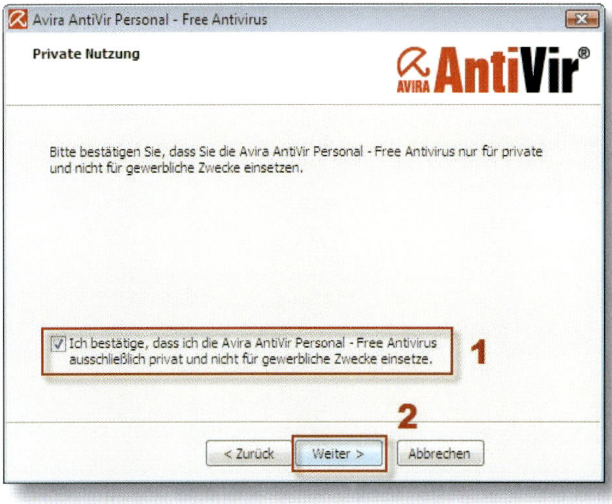

9. Im nächsten Schritt wählen Sie zwischen den Installationsarten *Vollständig* (*1*) und *Benutzerdefiniert*. Belassen Sie es bei der Voreinstellung und klicken Sie auf *Weiter (2)*.

10. Nun bietet Ihnen Avira die Möglichkeit, sich registrieren zu lassen. Das ist nicht unbedingt notwendig, ist aber auch nicht mit Nachteilen verbunden. Mit einem Klick auf *Weiter* startet die Installation.

11 **Schließlich meldet das Programm, dass die Installation beendet ist. Klicken Sie auf *Fertig stellen (1)*. Bei der nachfolgenden Frage nach einem Update klicken Sie auf *Ja (2)*. Nun ist Ihr PC ausreichend vor Viren geschützt.**

6.2 Erste Schritte

Wenn die Verbindung zum Internet steht, brauchen Sie noch ein Programm, um das weltweite Netz auch nutzen zu können: einen so genannten Browser. Das englische Verb „to browse" bedeutet auf Deutsch „stöbern". Genau das machen Sie im Internet auch: Sie stöbern und blättern sich mit Hilfe des Browsers durch das vielfältige Angebot.

6.2.1 Browser

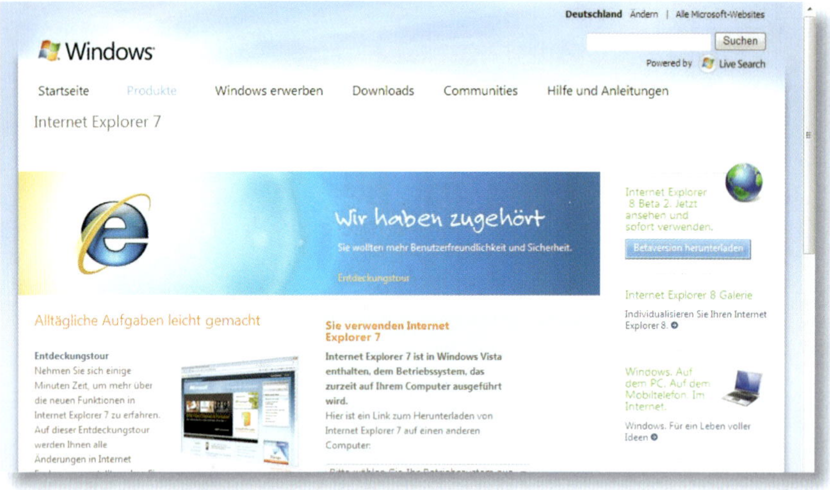

Der Internet Explorer 7 von Microsoft.

Der bekannteste und meist benutzte Browser ist schon seit vielen Jahren der Internet Explorer von Microsoft. Der Grund dafür ist ziemlich einfach: Der Internet Explorer – derzeit in der Version 7 – ist auf jedem Windows-Rechner vorinstalliert. Auch Sie werden zunächst mit dem Internet Explorer arbeiten.

Wenn Sie in Sachen Internet schon fortgeschritten sind, können Sie auch einen der anderen Browser ausprobieren, zum Beispiel den Firefox von Mozilla.

Um den Internet Explorer zu starten, haben Sie zwei Möglichkeiten:

1. **Klicken Sie auf das Symbol des Internet-Explorers in der Leiste neben dem Startknopf:**

2. **Klicken Sie auf den Startknopf, dann öffnet sich das Startmenü. Im Startmenü oben links klicken Sie auf das Symbol des Internet Explorers:**

6.2.2 *Internetadressen*

Alle Seiten im Internet sind anhand einer bestimmten Adresse erreichbar. Diese Adresse ist bis auf einige wenige Ausnahmen nach einem bestimmten Schema aufgebaut und besteht aus vier Teilen, zum Beispiel:

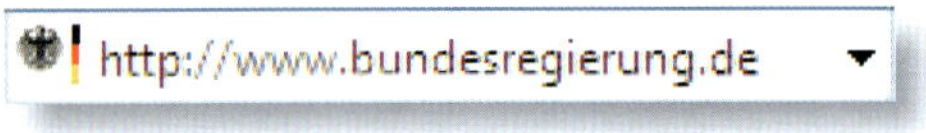

1. ***http://*** **teilt dem Browser mit, welches Format die Daten haben, die das Programm nun laden muss.**
2. ***www*** **bezeichnet den Dienst, unter dem sich die Adresse befindet. In den meisten Fällen ist es das *www* (World Wide Web).**
3. ***bundesregierung*****: Zwischen dem *www.* und dem *.de* steht die eigentliche Adresse. Diesen Teil kann der Betreiber einer Internetseite frei wählen, wobei jede Adresse genau ein Mal verwendet werden darf.**
4. **Die Endung verweist entweder auf das Herkunftsland einer Adresse (*.de* steht für Deutschland) oder auf den gesellschaftlichen Bereich (zum Beispiel *.com für Unternehmen*).**

6.2.3 Browserfunktionen

Adresseneingabe

Um im Browser nun eine Adresse einzugeben, klicken Sie in die Adresszeile, die sich im oberen Bereich befindet, und tippen dort

zum Beispiel ***www.bundesregierung.de*** ein. Das ***http://*** brauchen Sie nicht einzutippen, diese Arbeit nimmt Ihnen der Browser ab. Bestätigen Sie Ihre Eingabe mit der ***Enter***-Taste. In der Regel dauert es danach wenige Sekunden, bis Sie die gewünschte Seite im Browser sehen.

Falls im Adressfeld schon eine Adresse steht, klicken Sie einfach auf diese. Sie wird blau markiert und Sie können sofort eine neue Adresse eintippen.

Die Grundlagen des Surfens im Internet beherrschen Sie nun: Sie wissen, wie Sie den Browser starten, und Sie wissen auch, wie Sie eine Ihnen bekannte Internetadresse eingeben. Der Browser möchte Ihnen jedoch unnötige Arbeit abnehmen und bietet Ihnen zahlreiche Funktionen, von denen Sie die wichtigsten kennen sollten. Dann nämlich macht das Stöbern im weltweiten Netz mehr Spaß. Die Adressleiste bietet folgende weitere Funktionen:

Blättern

1. **Zurück- und Vorblättern: Sicher sind Ihnen die beiden Pfeile links neben dem Adressfeld aufgefallen. Sie dienen dem Zurück- und Vorblättern. Sie müssen also nicht jedes Mal eine bereits eingegebene Adresse neu tippen.**

2. **Ein Klick auf das kleine Dreieck zwischen den Symbolen für Zurück- und Vorblättern und der Adresszeile zeigt Ihnen alle Seiten, die Sie während der aktuellen Sitzung besucht haben.**

Besuchte Seiten

1. **Alle bisher besuchten Seiten: Der blau unterlegte Pfeil am rechten Ende des Adressfeldes zeigt Ihnen beim Klick alle Seiten, die Sie bis-**

her besucht haben, zum Beispiel auch in der vergangenen Woche. Allerdings ist dies abhängig von den Voreinstellungen.

2 Seite aktualisieren: Wiederum rechts daneben finden Sie zwei kleine Pfeile . Mit einem Klick auf dieses Symbol können Sie die gerade aufgerufene Seite aktualisieren. Das kann zum Beispiel bei Nachrichten- oder Sportseiten sinnvoll sein, die ihre Inhalte schnell ändern.

3 Laden der Seite stoppen: Rechts neben dem Aktualisierungssymbol sehen Sie ein rotes Kreuz . Ein Klick darauf unterbricht das Laden einer Seite, wenn es beispielsweise zu lange dauern sollte.

Suchfeld

Ganz rechts finden Sie das Suchfeld. Dazu mehr in Kapitel 3 (Suchen im Internet).

Unter der Adresszeile finden Sie im Internet Explorer die so genannte Menüleiste. Hier können Sie viele Einstellungen vornehmen oder auch eine Seite ausdrucken.

Auf mehreren Seiten gleichzeitig surfen

Der Internet Explorer nutzt Registerkarten, auch Reiter genannt. Mit Hilfe der Registerkarten können Sie auf mehreren Internetsei-

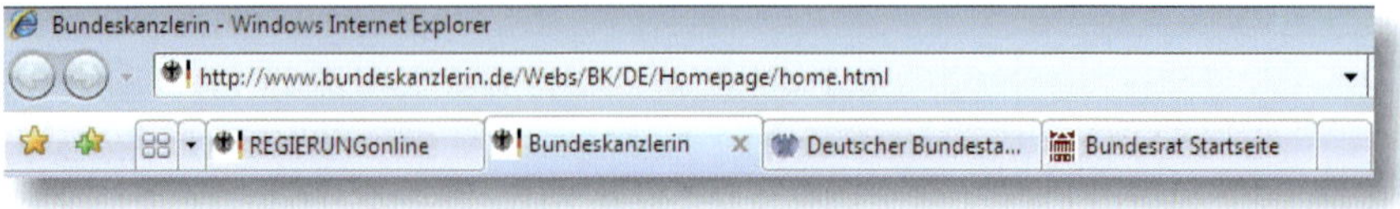

ten gleichzeitig surfen. Das ist bei der Suche nach Informationen durchaus sinnvoll.

Um eine neue Registerkarte zu öffnen, klicken Sie auf das Quadrat neben dem bereits geöffneten Reiter.

Danach erscheint zunächst eine Informationsseite, und Sie geben wie gewohnt die gewünschte Adresse ein.

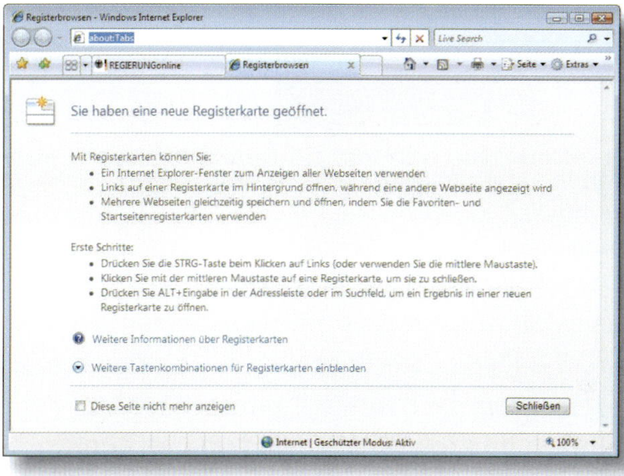

Sie können selbstverständlich mit einem einfachen Klick zwischen den einzelnen Registerkarten hin- und herschalten.

Um einen Reiter wieder zu schließen, klicken Sie auf das kleine graue Kreuz, das sich rot färbt, sobald Sie mit der Maus darauf fahren. Ein Reiter bleibt immer geöffnet, denn sonst könnten Sie nicht im Internet surfen.

Favoriten anlegen und verwalten

Ganz links in der Leiste mit den Registerkarten finden Sie einen gelben Stern und rechts daneben einen weiteren gelben Stern, überdeckt mit einem kleinen grünen Plus-Zeichen. Mit diesen beiden Symbolen verwalten Sie ihre Lieblingsseiten, die so genannten Favoriten.

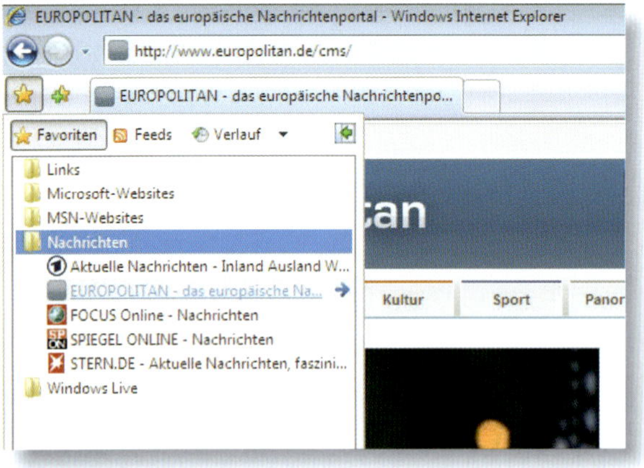

Die Favoriten helfen Ihnen beim Surfen im Internet. Die Adressen Ihrer Lieblingsseiten müssen Sie sich weder merken noch irgendwo auf einem Zettel notieren.

Wenn Sie ein paar Mal im Internet unterwegs waren, werden Sie schnell feststellen, dass Sie bestimmte Seiten wesentlich häufiger besuchen als andere, ganz nach Ihrem Interesse. Ihre Lieblingsseiten können Sie einfach im Browser abspeichern und künftig jederzeit wieder aufrufen.

Um eine Seite den Favoriten hinzuzufügen, klicken Sie auf den gelben Stern mit dem Plus-Zeichen .

1 **Es öffnet sich ein Menü, aus dem Sie per Klick die erste Option wählen: *Zu Favoriten hinzufügen*.**

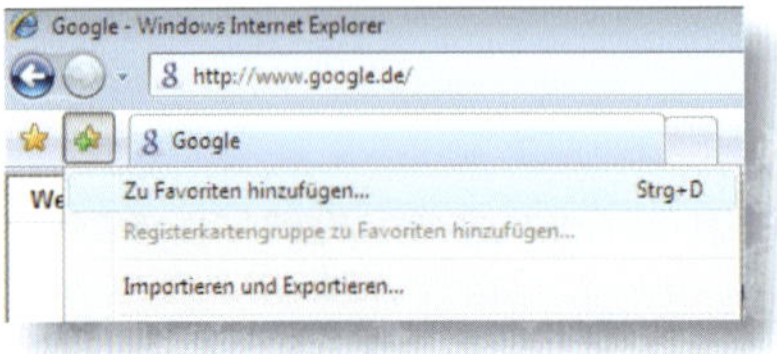

2 Nun öffnet sich in der Bildschirmmitte ein neues, kleines Fenster. Dort tippen Sie den *Namen der Seite* ein (*1*). Sie können entweder den voreingestellten Namen lassen oder einen auswählen, der Ihnen geeigneter erscheint. Zusätzlich können Sie auch bestimmen, in welchem Ordner die Seite abgespeichert werden soll. Zunächst erstellen Sie den entsprechenden Ordner mit einem Klick auf die Schaltfläche *Neuer Ordner (2)*.

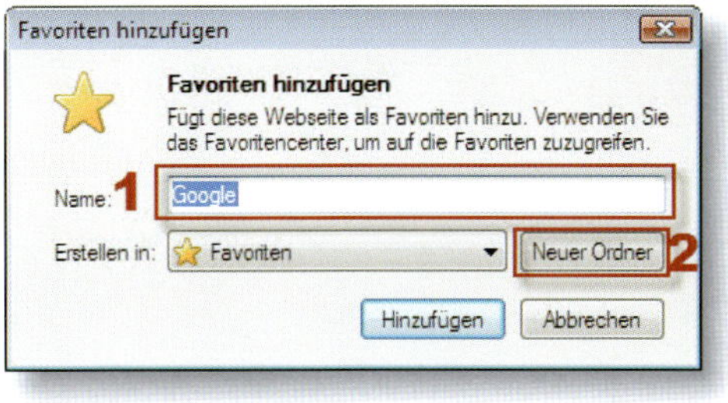

3 Nun tippen Sie den gewünschten *Ordnernamen* ein (*1*) und bestätigen mit der Schaltfläche *Erstellen (2)*.

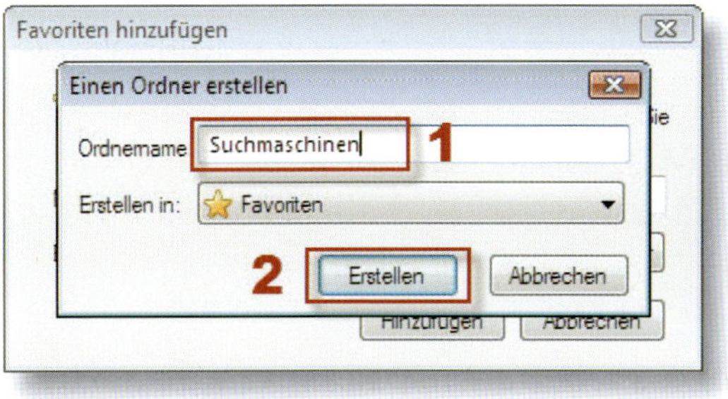

4 Klicken Sie schließlich auf die Schaltfläche *Hinzufügen*. Erst jetzt ist Ihre Lieblingsseite auch unter den Favoriten abgespeichert.

!

TIPP Sie können Ihre Favoriten jederzeit umbenennen, neu sortieren oder löschen. Klicken Sie dazu in der Menüleiste auf *Favoriten* und anschließend auf *Favoriten verwalten*.

Startseite festlegen

Wenn Sie den Internet Explorer starten, öffnet sich die so genannte Startseite. Mit dieser Seite beginnen Sie ihre Internetsitzung. Die Startseite können Sie beliebig festlegen. Sinnvoll ist eine Seite, die Sie ohnehin häufig besuchen, zum Beispiel eine Nachrichtenseite oder eine Suchmaschine. Ihre Startseite richten Sie wie folgt ein:

1. **Geben Sie die Adresse der gewünschten Startseite in der Adressleiste des Browsers ein, zum Beispiel www.google.de.**

2. **Klicken Sie in der Symbolleiste auf den kleinen *Pfeil neben dem Häuschen-Symbol* (*1*). Es öffnet sich ein Menü: Klicken Sie auf *Startseite hinzufügen oder ändern (2).***

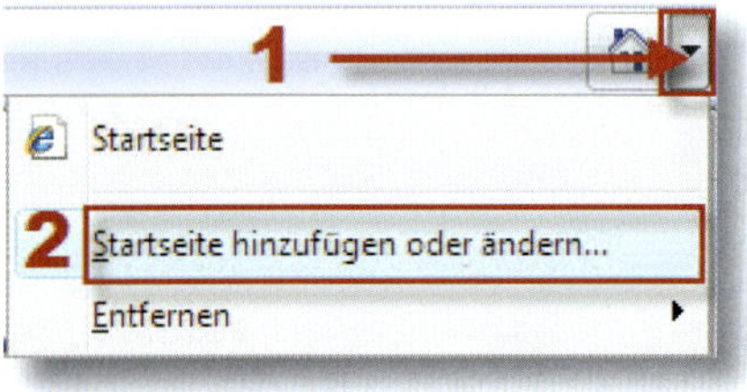

3. **Im nun geöffneten Fenster wählen Sie *Diese Webseite als einzige Startseite verwenden* (*1*) aus und klicken dann auf *Ja (2)*.**

4. **Eine andere Möglichkeit, die Startseite zu bestimmen: Klicken Sie in der *Menüleiste* auf *Extras* und dann auf *Internetoptionen*.**

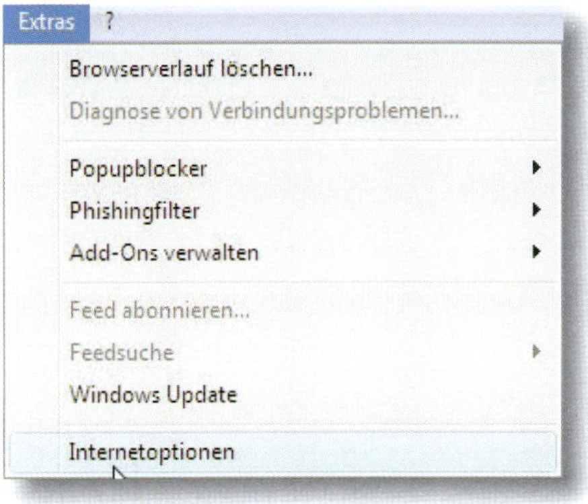

5 **Im Reiter *Allgemein* können Sie die Startseite ändern.**

Die Startseite können Sie jederzeit über das Häuschen-Symbol im rechten oberen Bereich des Browsers aufrufen.

Textgröße

Manchmal wird es vorkommen, dass die Schriftgröße der besuchten Seiten zu klein ist. Immer mehr Seiten bieten inzwischen von sich aus an, die Textgröße zu ändern, wie zum Beispiel das Hotelbuchungsportal HRS (www.hrs.de).

Leider gibt es aber immer noch sehr viele Angebote, die nicht so benutzerfreundlich sind. In diesem Fall hilft Ihnen jedoch der Browser:

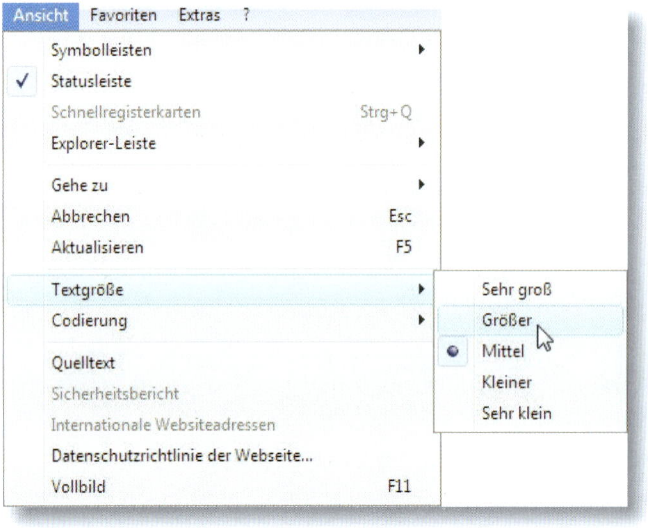

Klicken Sie in der ***Menüleiste*** auf ***Ansicht***, anschließend auf ***Textgröße***. Wählen Sie dann die gewünschte Textgröße, zum Beispiel ***Größer***.

7 E-Mail: Die elektronische Post

Das Internet eignet sich nicht nur hervorragend, um Informationen zu finden, einzukaufen, das eigene Bankkonto zu verwalten oder eine Reise zu buchen, sondern auch, um mit anderen Menschen zu kommunizieren. Das geht am einfachsten mit der so genannten E-Mail. Die elektronische Post ist schnell, zuverlässig, flexibel und in der Regel kostenlos. Alles, was Sie brauchen, ist eine eigene E-Mail-Adresse.

7.1 E-Mail-Adresse einrichten

Eine E-Mail-Adresse einzurichten ist nicht schwer und zudem meist kostenlos. Der Aufbau einer E-Mail-Adresse sieht wie folgt aus: name@domain.de. Der vordere Teil vor dem @-Zeichen (gesprochen: ät) ist der lokale Teil. Der hintere Teil wird globaler Teil oder Domänenteil genannt

WDR Fernsehen:	fernsehen@wdr.de
Radio:	radio@wdr.de
Internet-Redaktion:	redaktion@wdr.de
Videotext-Redaktion:	videotext@wdr.de
Verkehrsredaktion:	verkehrsstudio@wdr.de

Eine typische E-Mail-Adresse im öffentlichen Bereich lautet dann zum Beispiel redaktion@wdr.de. Der Part hinter dem @-Zeichen signalisiert, dass die Post an den Westdeutschen Rundfunk geht, der vordere Teil spezifiziert den Empfänger, in diesem Fall die Redaktion des WDR. Private Mail-Adressen sehen demnach zum Beispiel so aus: max.mustermann@web.de.

Eine solche Adresse bekommt man häufig vom Provider zugeteilt. Sehen Sie doch einmal in der Post Ihres Internetanbieters nach, ob das Unternehmen für Sie nicht schon eine elektronische Adresse eingerichtet hat. Wenn ja, können Sie den nächsten Schritt überspringen. Falls nicht, oder wenn Ihnen die vom Provider eingerichtete Adresse nicht gefällt, erfahren Sie nun, wie Sie eine kostenlose E-Mail-Adresse erhalten.

Es gibt tausende Anbieter für kostenlose Adressen. Vielleicht haben Sie schon einmal von den zwei größten deutschen Anbietern web.de und gmx.de gehört oder kennen jemanden, der dort eine E-Mail-Adresse besitzt.

7.1.1 *E-Mail-Adresse bei web.de einrichten*

1. **Tippen Sie *www.web.de* in die Adresszeile Ihres Browsers. Auf der Startseite klicken Sie auf *Hier kostenlose E-Mail-Adresse einrichten*.**

2. **Danach sehen Sie eine Seite mit Details zum Angebot und klicken auf *Jetzt kostenlos anmelden*.**

3. **Auf der nächsten Seite tragen Sie in das Formular zunächst Ihre persönlichen Angaben ein.**

4. **Danach wählen Sie einen *E-Mail-Wunschnamen* (*1*) und klicken auf *Verfügbarkeit prüfen (2)*. Sollte Ihr Wunschname schon vergeben sein, macht Ihnen web.de Alternativvorschläge. Sie können es aber auch mit einem gänzlich anderen Namen noch einmal versuchen.**

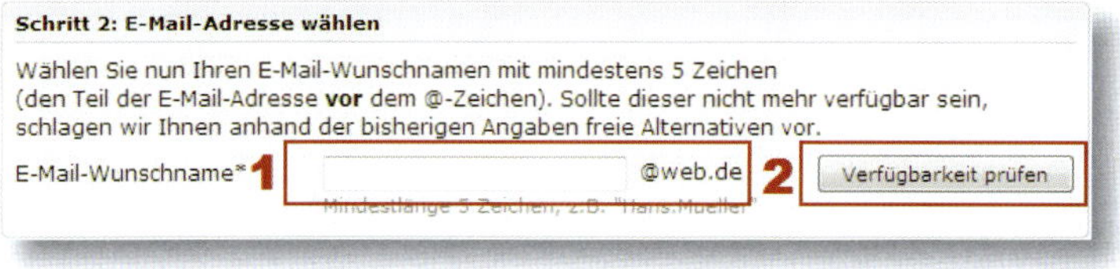

5. **Anschließend wählen Sie ein** Passwort. **Die Eingabe müssen Sie wiederholen, um Tippfehler auszuschließen. Am Regler daneben sehen Sie, wie sicher ihr Passwort ist. Für den Fall, dass Sie Ihr Passwort einmal vergessen sollten, können Sie hier eine Sicherheitsfrage einstellen.**

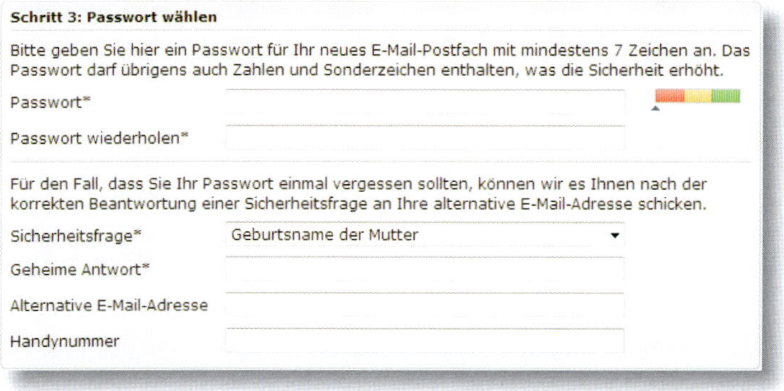

6 **Schließlich müssen Sie die Registrierung mit der Abschrift eines angezeigten Wortes bestätigen.**

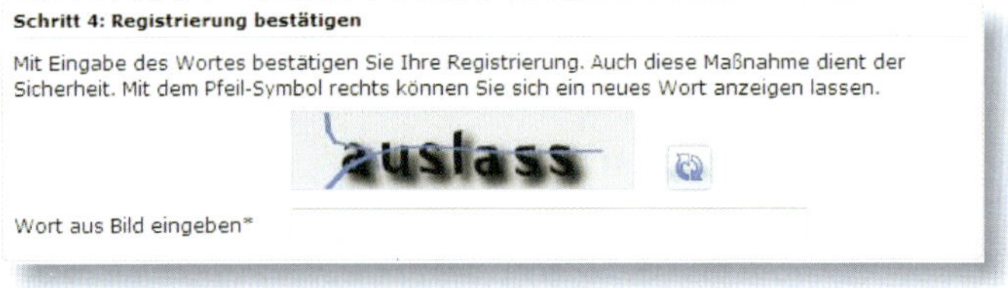

7 **Mit dem Klick auf** ***Ich stimme den AGB zu. Jetzt E-Mail-Konto anlegen!*** **ist Ihr Postfach bei web.de eingerichtet.**

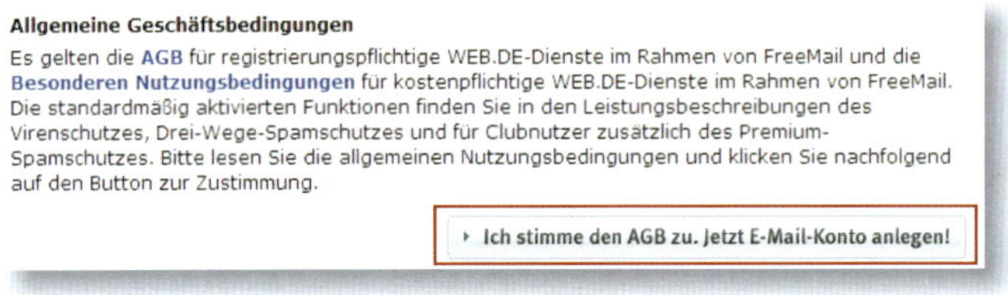

7.2 Ein E-Mail-Programm nutzen

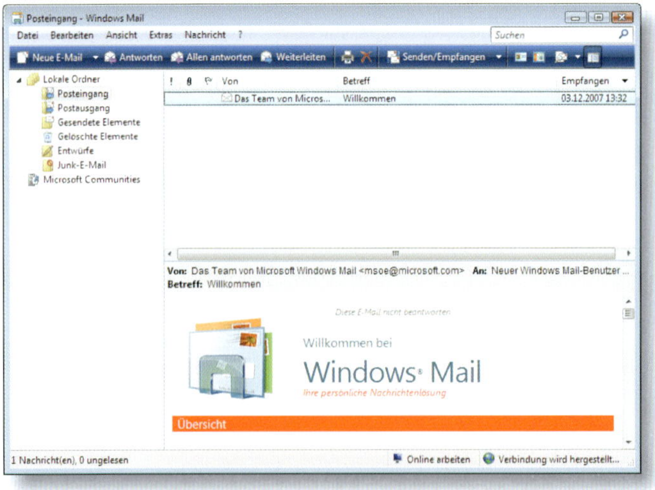

Sie haben nun eine E-Mail-Adresse, mit der Sie für Ihre Familie, Freunde und Bekannten erreichbar sind. Um Ihre elektronische

Post komfortabel zu verwalten, ist ein spezielles Programm besonders gut geeignet. Ein solches Programm ist in Windows Vista schon mitgeliefert: Windows Mail. Bis zur Version Windows XP hieß dieses Programm übrigens Outlook Express. Falls Sie einen XP-Rechner mit Outlook Express haben, ist die folgende Anleitung für Sie ebenfalls geeignet. Beide Programme unterscheiden sich nur minimal.

7.2.1 Windows Mail einrichten

1. **Starten Sie *Windows Mail*. Das Symbol befindet sich links oben im *Windows-Startmenü*.**

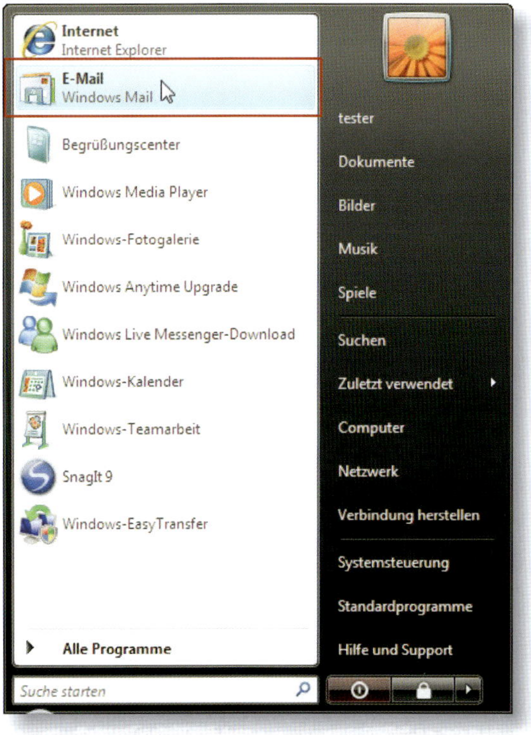

2. **Falls Sie das Programm zum ersten Mal starten, öffnet sich automatisch ein Assistent zur Kontoeinrichtung. Ist das nicht der Fall, öffnen**

Sie den Assistenten durch einen Klick auf *Extras* und dann auf *Konten*.

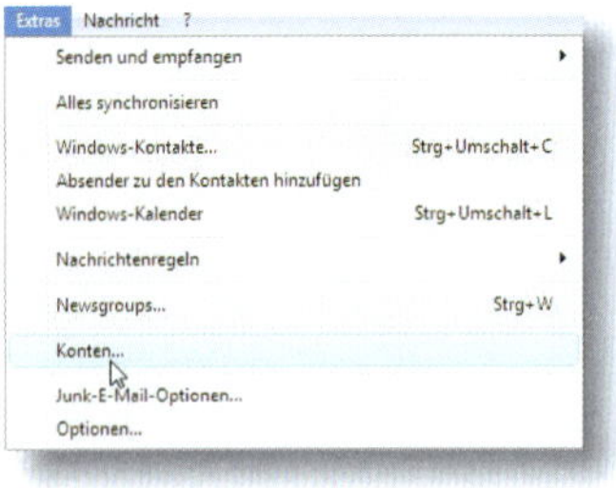

3 Es öffnet sich ein Fenster, das alle schon eingerichteten Konten anzeigt. Klicken Sie auf die Schaltfläche *Hinzufügen*.

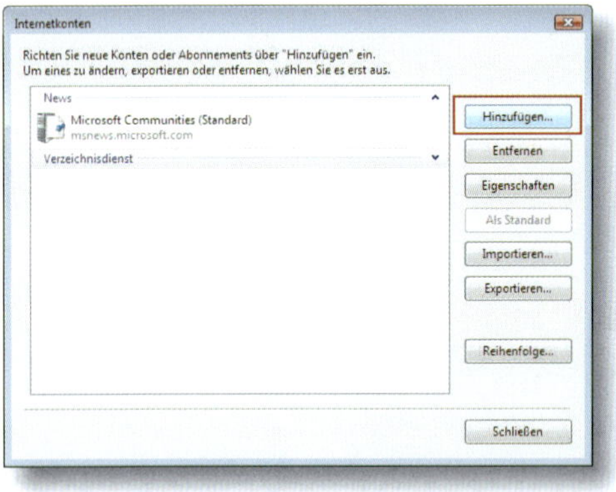

4 Als Kontotyp wählen Sie *E-Mail-Konto* (*1*) aus und klicken dann auf *Weiter* (*2*).

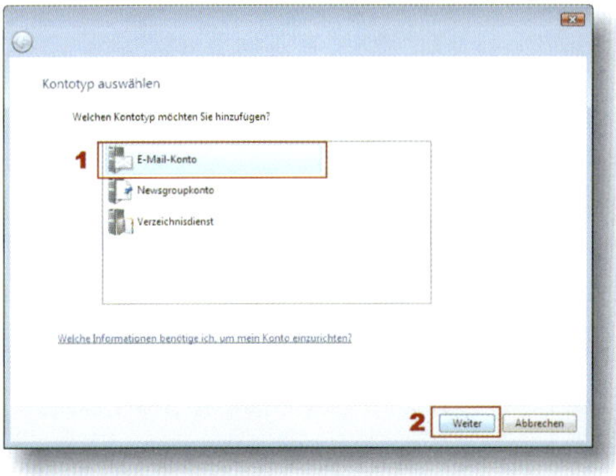

5 **Im nächsten Schritt geben Sie Ihren *Vor- und Nachnamen* (*1*) ein und klicken anschließend auf *Weiter (2)*.**

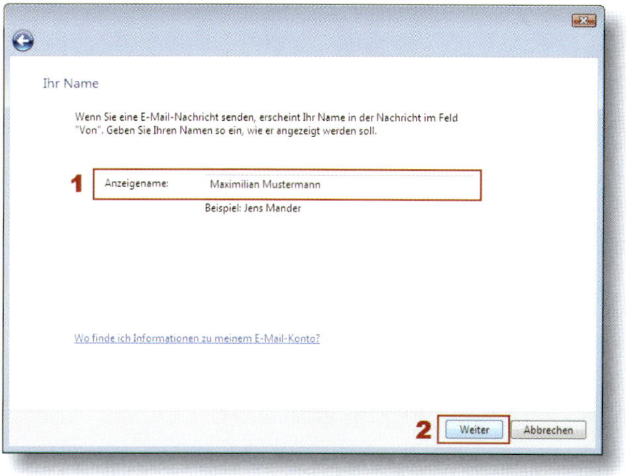

6 **Nun tippen Sie Ihre *E-Mail-Adresse* (*1*) ein. Das @-Zeichen geben Sie mit der Tastenkombination *Alt Gr* und *Q* ein. Klicken Sie danach auf *Weiter* (*2*).**

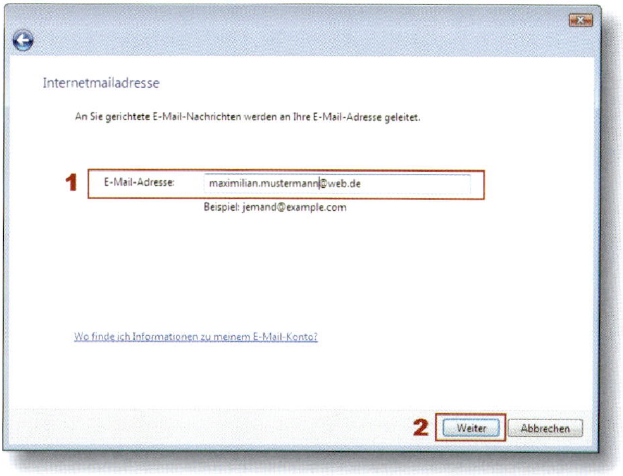

7 **Nun müssen Sie Angaben für den Posteingangs- (POP3) und Postausgangsserver (SMTP) eintippen. Diese Information erhalten Sie auf den Seiten Ihres Anbieters. Im Fall von web.de lauten diese An-**

gaben: *pop3.web.de* (*1*) und *smtp.web.de (2)*. Klicken Sie auf *Weiter* (*3*).

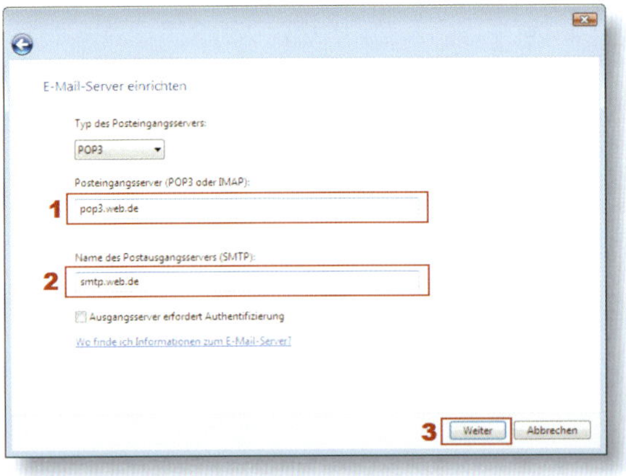

! **TIPP** Geben Sie bei Google die Suchbegriffe *pop3*, *smtp* und den Namen des Anbieters ein, um diese Angaben zu finden. Schon das erste Suchergebnis sollte die richtige Information liefern.

8 Im folgenden Fenster tippen Sie nun Ihr für das Postfach zuvor gewähltes *Kennwort* (*1*) ein. Klicken Sie in das Kästchen *Kennwort speichern (2)*, dann müssen Sie es nicht jedes Mal neu eingeben, wenn Sie Ihr Postfach abfragen. Danach klicken Sie auf *Weiter* (*3*).

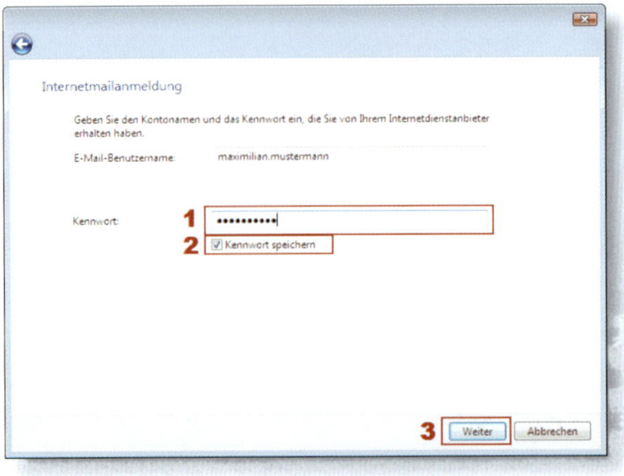

9 Sie haben die Einrichtungsprozedur überstanden und können den Assistenten mit einem Klick auf *Fertig stellen* beenden. Windows Mail prüft umgehend, ob alle Daten korrekt sind, und lädt alle im Postfach wartenden E-Mails herunter.

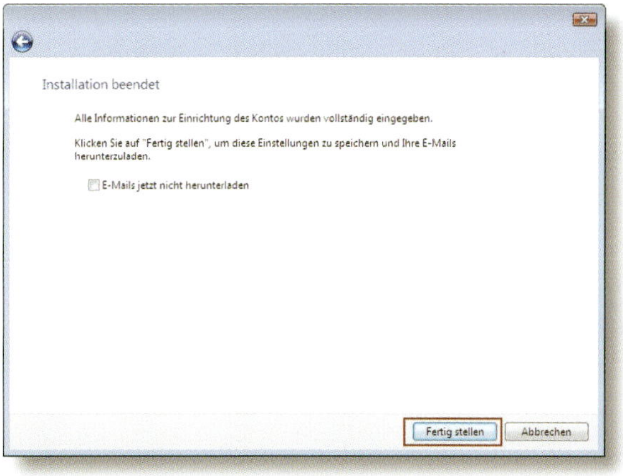

7.2.2 *Eine E-Mail schreiben und senden*

1 Klicken Sie in Windows Mail in der Symbolleiste auf *Neue E-Mail*.

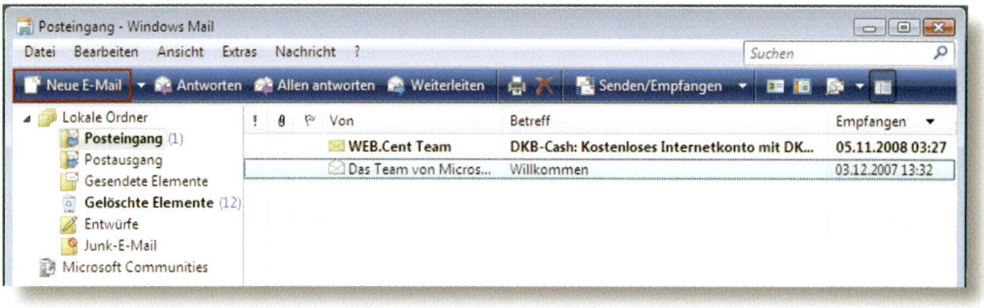

2 Es öffnet sich ein neues Fenster. Im oberen Bereich geben Sie im Feld *An* die E-Mail-Adresse des *Empfängers* ein (*1*). Mehrere Empfänger trennen Sie mit einem Komma. Möchten Sie, dass jemand eine Kopie der E-Mail erhält, aber nicht direkt Adressat ist, tippen Sie diesen *Empfänger* in das Feld *Cc* ein (*2*). In die Zeile darunter tippen Sie in das Feld *Betreff* ein, worum es in der Nachricht geht (*3*). Im *Textfeld*, der großen weißen Fläche, geben Sie Ihre Nachricht ein (*4*). Sie kön-

nen sie ähnlich wie in Word formatieren. Klicken Sie danach auf *Senden (5)*, wird die E-Mail losgeschickt und landet meist innerhalb von einigen Sekunden beim Empfänger.

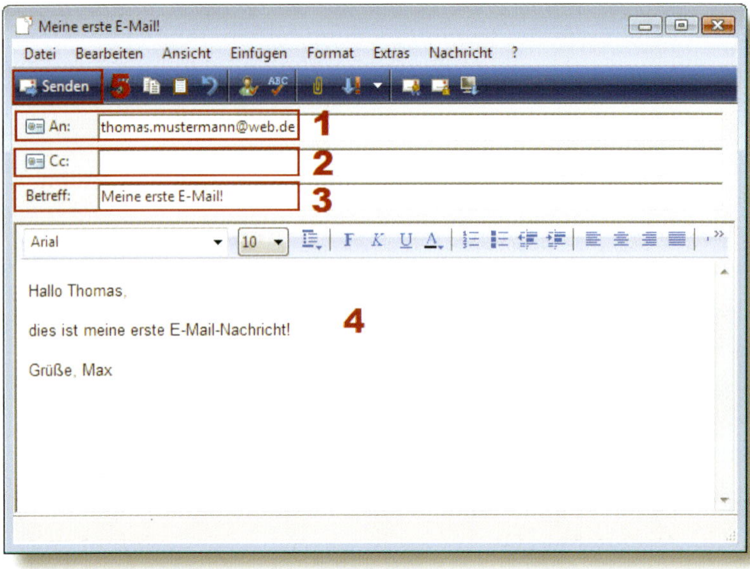

7.2.3 *E-Mails empfangen, beantworten, weiterleiten, löschen*

Ähnlich wie beim Briefkasten vor der Haustür sollten Sie auch im elektronischen Briefkasten nachsehen, ob Sie Post erhalten haben.

Empfangen

1. Um Post abzuholen, klicken Sie in der Symbolleiste von Windows Mail auf *Senden/Empfangen*.

2. Neue Nachrichten werden automatisch im Ordner *Posteingang* abgelegt. An der Zahl dahinter sehen Sie, wie viele ungelesene Mails auf Sie warten. Den *Posteingang* rufen Sie mit einem einfachen Klick auf, dort können Sie dann alle Nachrichten in Ruhe durchlesen.

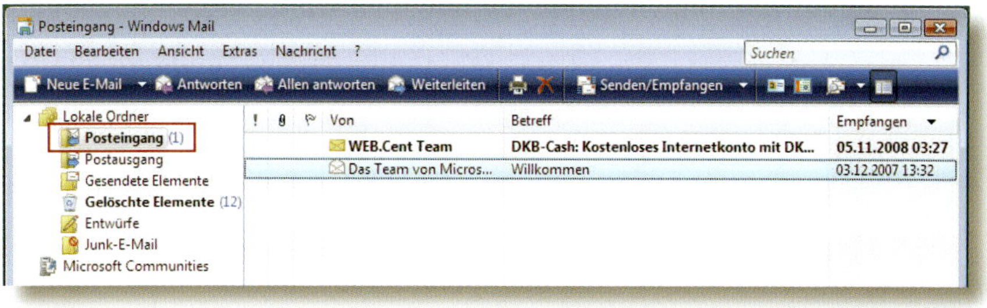

Lesen

1. Im oberen Bereich sehen Sie alle eingegangen Nachrichten. Ein Klick auf eine Nachricht zeigt diese im unteren Bereich des Fensters an. Ist die E-Mail länger, scrollen Sie mit den Pfeilschaltflächen oder mit dem Scroll-Rad der Maus nach unten, um den gesamten Inhalt zu lesen.
2. Ein Doppelklick öffnet die Nachricht in einem neuen Fenster.

Beantworten

1. Um eine Nachricht zu beantworten, muss diese geöffnet sein. Andernfalls klicken Sie in der Eingangsübersicht auf die zu beantwortende Nachricht und danach in der Symbolleiste auf *Antworten*.

2. Mit einem Klick auf *Allen Antworten* können Sie dem Absender und allen Empfängern antworten.

3. Es öffnet sich nun ein neues Fenster, in dem der Empfänger und der Betreff (vorangestellt ist ein *Re:*) bereits eingetragen sind (*1*). Im Textfeld steht der Inhalt der ersten Nachricht, erkennbar durch den Hinweis *----- Original Message -----* (*2*) und einen schwarzen Balken auf der linken Seite (*3*).

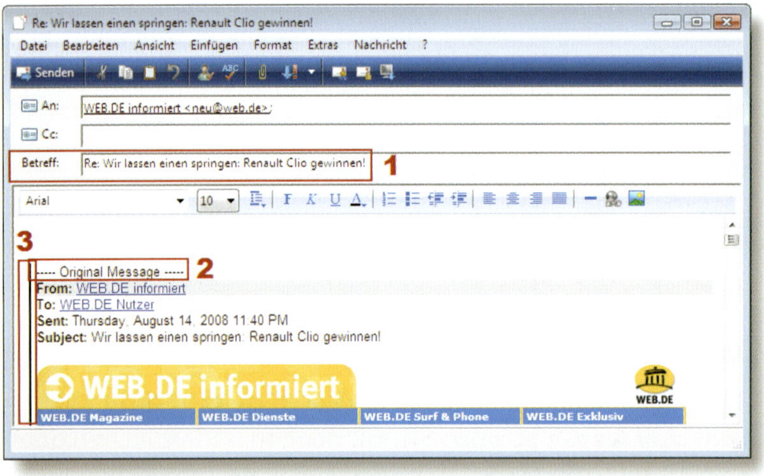

Weiterleiten

Wenn Sie eine interessante Nachricht weitersenden möchten, ist dies mit einem Klick auf ***Weiterleiten*** möglich. Wenn Sie wollen, können Sie noch einen eigenen ***Text*** voranstellen (*1*). Geben Sie den ***Empfänger*** (*2*) ein und klicken Sie auf ***Senden*** (*3*).

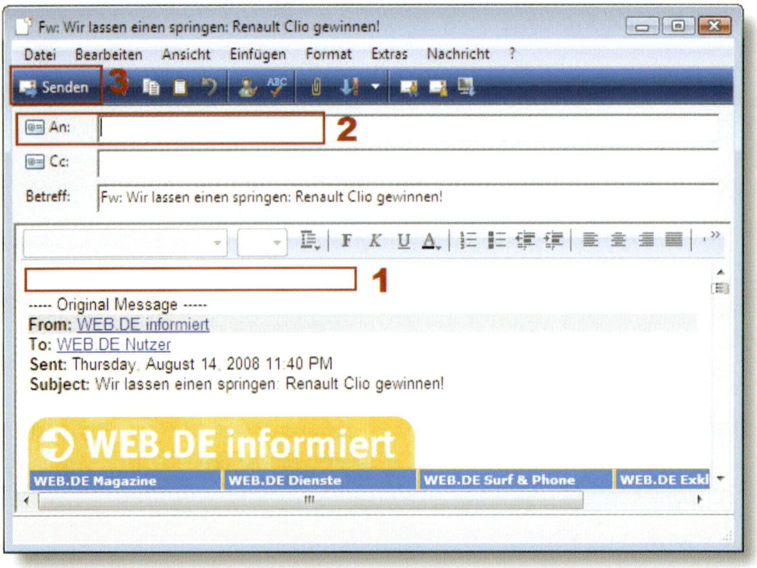

Löschen

Mit der Zeit kann der Ordner *Posteingang* ganz schön unübersichtlich werden. Alte und unbenötigte Mails sollten Sie von Zeit zu Zeit löschen.

1. **Markieren Sie die zu löschende Mail und klicken Sie dann in der Symbolleiste auf die Schaltfläche *Löschen* .**
2. **Alternativ klicken Sie auf *Bearbeiten* und dann auf *Löschen*.**
3. **Die gelöschten Nachrichten verschwinden nicht völlig, sondern landen erst einmal im Ordner *Gelöschte Elemente*. Dass ist sinnvoll, falls Sie eine Nachricht versehentlich entfernt haben oder entgegen ursprünglicher Annahme doch noch brauchen.**
4. **Wollen Sie die gelöschten Nachrichten endgültig loswerden, klicken Sie auf *Bearbeiten* und anschließend auf *Ordner „Gelöschte Elemente" leeren*.**

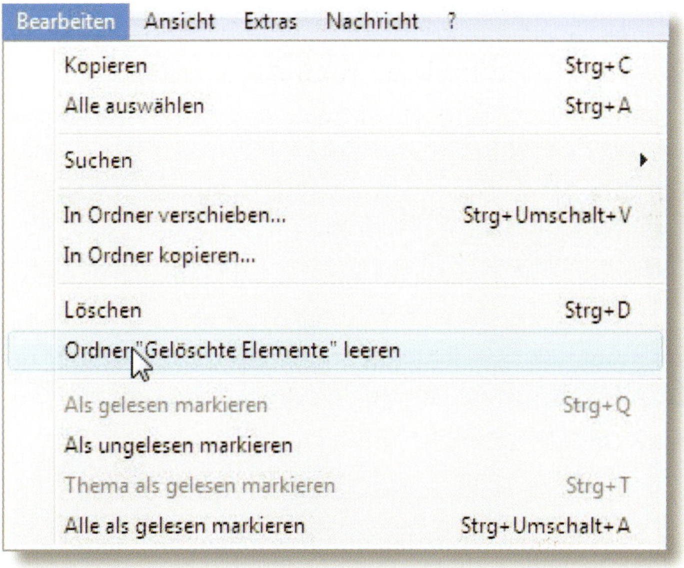

5. **Alternativ können Sie einzelne Mails im Ordner *Gelöschte Elemente* mit der oben genannten Methode beseitigen.**

7.2.4 *Eine Datei mitschicken: Der E-Mail-Anhang*

Eine Nachricht muss nicht nur aus Text bestehen. Sie können Ihren Verwandten und Freunden jede erdenkliche Datei mitschicken, den so genannten Anhang. Das können zum Beispiel Fotos, Filme, Word-Dokumente oder Musikdateien sein.

1. **Klicken Sie auf *Neue E-Mail*.**
2. **Geben Sie Empfänger, Betreff und die Nachricht ein.**
3. **Klicken Sie in der Symbolleiste auf die *Büroklammer*. Das ist das Zeichen für „Datei an Nachricht anfügen".**

4. **Es öffnet sich ein neues Fenster, und Sie können auf Ihrer Festplatte die Datei auswählen, die mitgesendet werden soll.**
5. **Die gewünschte Datei wählen Sie mit einem Doppelklick aus.**

> **!** **TIPP Beim Versenden von Anhängen sollten Sie zwei Dinge beachten: Je größer die Dateien sind, umso länger dauert es für den Empfänger, die E-Mail herunterzuladen. Viele Anbieter haben auch eine Obergrenze für den Anhang, so erlaubt zum Beispiel web.de maximal 4 MB.**

6. **Unter dem Feld *Betreff* erscheint nun das neue Feld *Anfügen (1)*, in dem die ausgewählte Datei angezeigt wird. Selbstverständlich können Sie auch mehrere Dateien anhängen. Wenn alles passt, klicken Sie auf *Senden (2)*.**

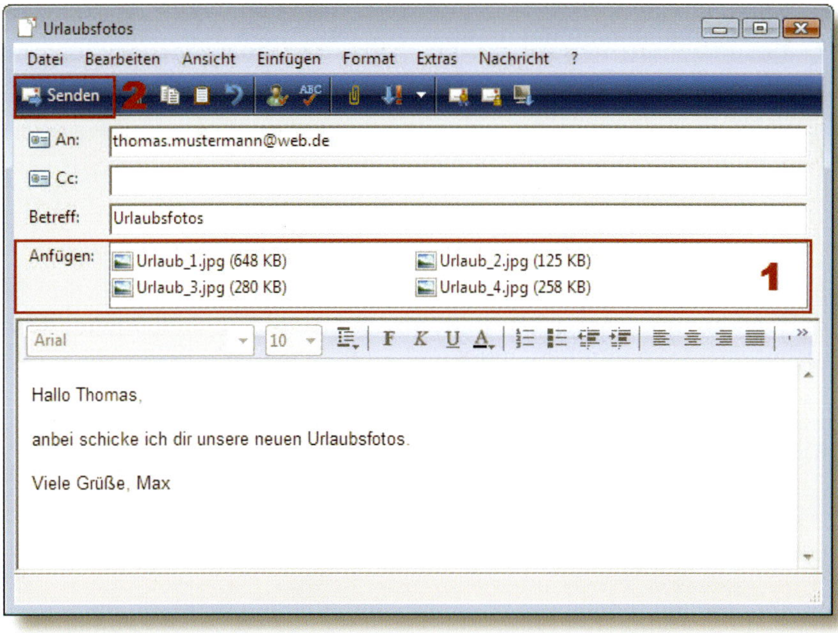

Sie können natürlich auch umgekehrt selbst Nachrichten mit Anhang erhalten. Sie erkennen eine solche Mail am bereits erwähnten Büroklammer-Symbol. Mit einem Klick auf die ***Klammer*** (*1*) sehen Sie die mitgeschickten Dateien, die Sie nun direkt öffnen oder auf Ihrer Festplatte ***speichern*** können (*2*).

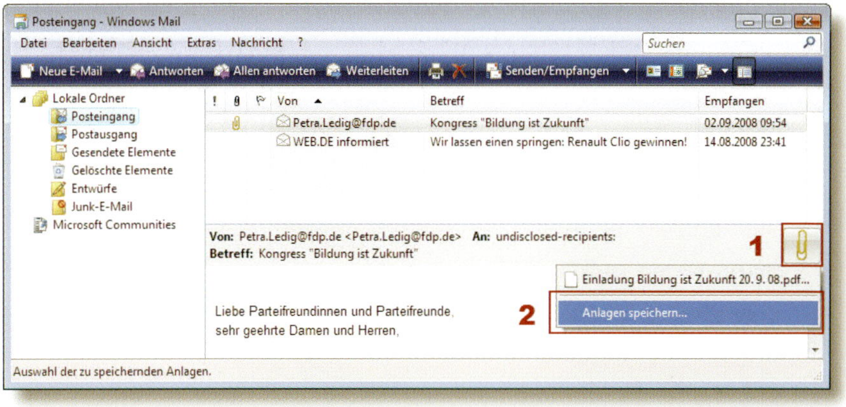

Seien Sie an dieser Stelle aber besonders vorsichtig: E-Mail-Anhänge enthalten vergleichsweise oft Viren oder andere Schädlinge. Faustregel: Nur solche Anhänge öffnen, bei denen Sie den Absender kennen, oder die Sie explizit angefordert haben. Bei Anhängen ist eine gesunde Portion Misstrauen durchaus angebracht.

Windows Mail bietet Ihnen dazu folgende Hilfestellung:

Klicken Sie auf das Menü ***Extras***, dann auf ***Optionen*** und öffnen Sie dort die Registerkarte ***Sicherheit*** (*1*). Aktivieren Sie mit einem Klick in das Kästchen die Option ***Speichern oder öffnen von Anlagen, die möglicherweise einen Virus enthalten könnten, nicht zulassen*** (*2*). Speichern Sie die Einstellungen mit einem Klick auf ***OK*** (*3*).

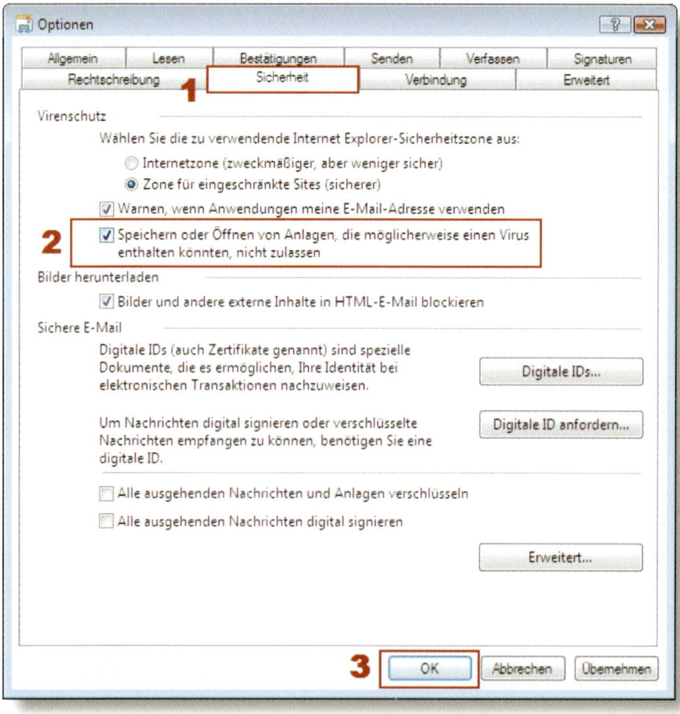

7.2.5 *Das Adressbuch (Windows-Kontakte)*

Wenn Sie mehr und mehr E-Mail-Kontakte haben, kann es schnell mühsam werden, sich diese irgendwo zu notieren und dann jedes Mal von Hand einzutippen. Stattdessen sollten Sie die Adressbuchfunktion von Windows Mail nutzen.

> **!** **TIPP Haben Sie eine E-Mail empfangen, fügt Windows Mail den Absender automatisch zu Ihren Kontakten hinzu. Dasselbe gilt, wenn Sie einen Empfänger zum ersten Mal manuell eintippen.**

1. **Klicken Sie auf *Extras* (*1*) und dann auf *Windows-Kontakte* (*2*).**

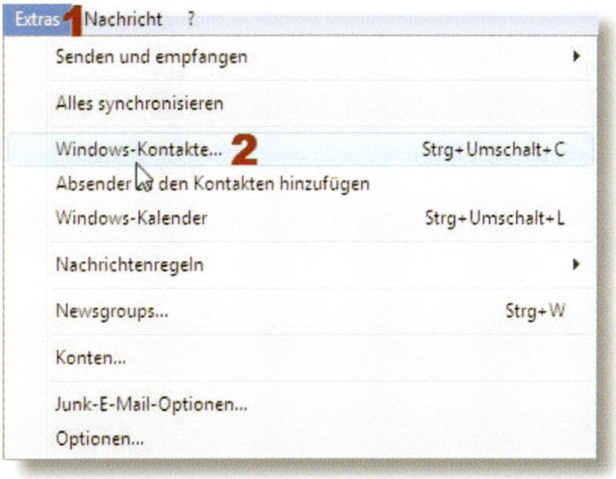

2. **Es öffnet sich ein neues Fenster. Klicken Sie auf *Neuer Kontakt*.**

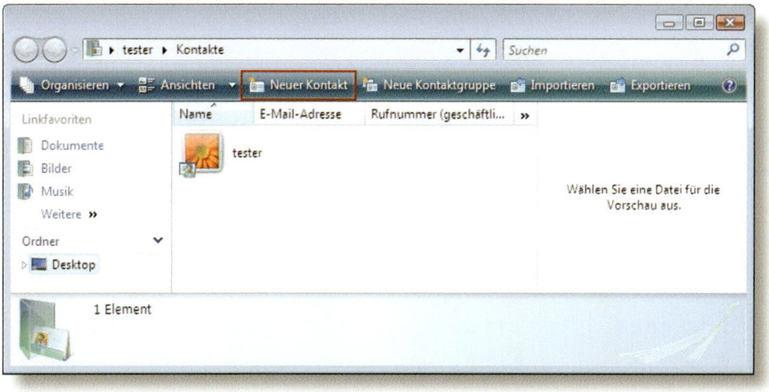

3. Nun geben Sie den *Vor-* (*1*) und *Nachnamen* (*2*) und die *E-Mail-Adresse* (*3*) des neuen Kontakts ein. Wenn Sie möchten, können Sie auch zahlreiche weitere Informationen und Details eingeben, wie zum Beispiel Privat- oder Geschäftsadresse, oder ein Foto der Person hochladen. Wenn Sie fertig sind, klicken Sie auf *OK (4)*.

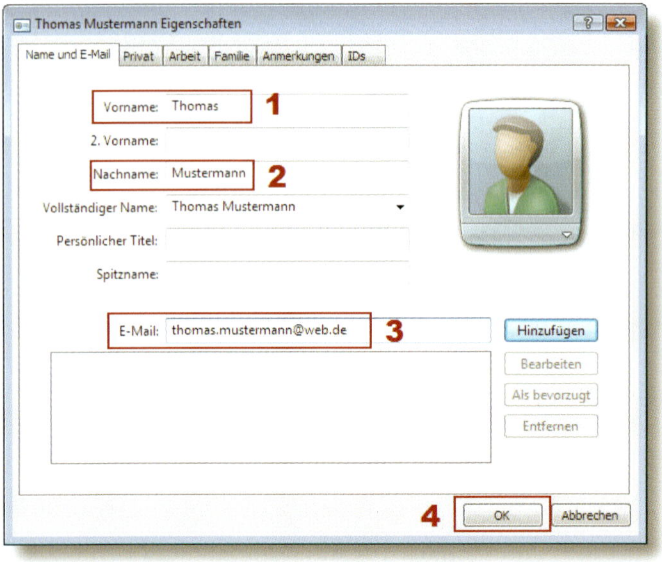

! TIPP Sie können Ihre Kontakte auch nach Gruppen sortieren, sodass Sie mit einem Klick eine Mail beispielsweise an alle Familien- oder Vereinsmitglieder schreiben.

4. Wenn Sie eine neue E-Mail schreiben, öffnen Sie Ihre Kontakte mit einem Klick auf das Feld *An*. Es erscheint ein neues Fenster *Empfänger auswählen*. Markieren Sie den gewünschten *Empfänger* (*1*) und klicken Sie dann auf die Schaltfläche *An* (*2*) und schließlich auf *OK* (*3*). Alternativ können Sie in das Feld *An* den Empfängernamen schreiben, die Adresse ist dann schon im Adressbuch hinterlegt.

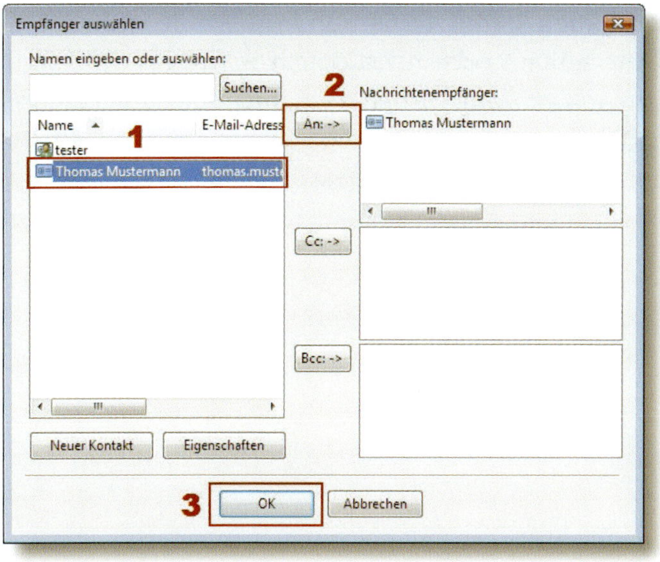

7.2.6 Weitere Extras: Rechtschreibung, Suche, Priorität

Gerade bei offiziellen E-Mails sollten Sie die Nachricht einer ***Rechtschreibprüfung*** unterziehen. Das geht mit einem einfachen Klick auf das Symbol ***ABC*** .

Sie können Ihre E-Mails auch nach einem Begriff durchsuchen. Dazu klicken Sie auf das Symbol mit der ***Lupe*** . Es öffnet sich ein neues Fenster, wo Sie angeben können, ob Sie in der Absender-, der Empfänger- oder der Betreffzeile oder in der Nachricht selbst suchen möchten. Außerdem können Sie den Zeitraum einschränken, in dem gesucht werden soll.

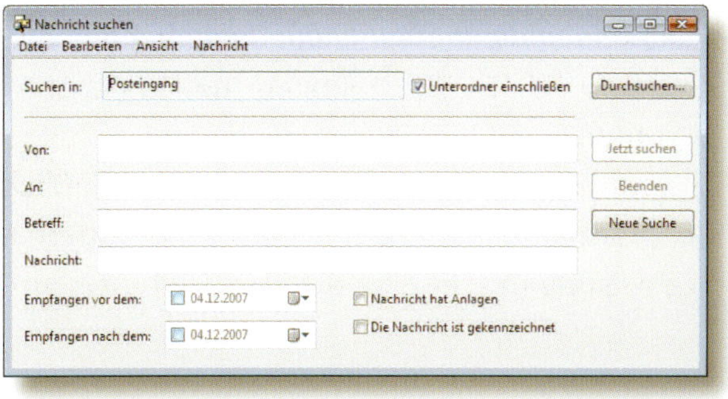

Eine weitere häufig genutzte Option von Windows Mail ist, der Nachricht eine höhere oder niedrigere ***Priorität*** als die Standardpriorität zuzuweisen. Wenn Sie also ein wichtiges und dringendes Anliegen haben, klicken Sie beim Schreiben einer neuen Nachricht auf das entsprechende Symbol mit dem ***blauen Pfeil und dem roten Ausrufezeichen*** (*1*) und weisen Sie dann eine ***hohe Priorität*** (*2*) zu.

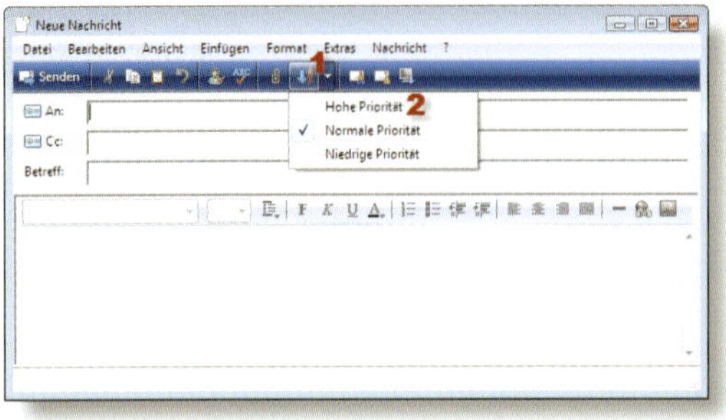

Adobe Reader
siehe ➧PDF

Anhang
Ein Anhang ist eine Datei, die zusammen mit einem Text in einer ➧E-Mail versendet wird. Dabei kann es sich z. B. um eine Text- oder Bilddatei handeln. Dateianhänge können ➧Viren beinhalten, weswegen man vor allem mit unbekannten Anhängen wachsam umgehen sollte.

Antivirenprogramm
siehe ➧Viren-Scanner

Benutzerkonto
Ein Benutzerkonto berechtigt zum Zugang eines beschränkten Systems. Es fasst Einstellungen und Daten eines Nutzers zusammen. Auch auf vielen Internetseiten kann sich der Nutzer per ➧Login mit Benutzername und ➧Kennwort anmelden.

Betriebssystem
Ein Betriebssystem stellt grundlegende Ein- und Ausgabefunktionen zur Verfügung. Es verwaltet einzelne Bereiche der Hardware, verarbeitet Daten und dient als Basis der Anwendungsprogramme. Moderne Betriebssysteme wie ➧Windows, Mac OS oder Linux verfügen über eine grafische Benutzeroberfläche.

Bit
Ein Bit ist die kleinste Speichereinheit des Computers. Acht Bits ergeben ein Byte, üblicherweise rechnet man in Kilobyte (1.024 Byte), ➧Megabyte (1.024 Kilobyte) bzw. Gigabyte (1.024 Megabyte).

Bluetooth
Bluetooth ist ein Standard für die Funkvernetzung von Geräten (bspw. Handy und PC) auf kurze Distanz (➧WLAN).

Bookmark
siehe ➡ Lesezeichen

Browser
Ein Browser ist ein Programm zum Betrachten von Internetseiten, das den Quelltext einer Internetseite anwenderfreundlich darstellt. Mit einem Browser kann der Nutzer im Internet „surfen" (surfen = das Bewegen im Internet bzw. das Verfolgen von ➡ Hyperlinks). Die derzeit meist verwendeten Browser sind der ➡ Internet Explorer von ➡ Microsoft und der ➡ Firefox von Mozilla.

Chat
Ein Chat ist eine Unterhaltung in Echtzeit mit anderen Menschen im ➡ Internet, meist durch den Austausch von geschriebenem Text.

Cookie
Ein Cookie ist eine kleine Datei, die von Internetseiten eingerichtet wird, um Nutzer bei einem erneuten Besuch wiederzuerkennen.

Datenschutz
Datenschutz ist ein wichtiges Thema: Viele Anwender gehen zu sorglos mit persönlichen Informationen im scheinbar anonymen ➡ Internet um. Insbesondere in ➡ Chats und ➡ Internetforen sollte man seine Privatsphäre schützen und keine persönlichen Daten wie Name, Adresse oder Fotos preisgeben.

Dialer
Dialer sind Programme, mit denen man sich – meist ungewollt – über ein ➡ Modem oder eine ➡ ISDN-Karte in kostenpflichtige Internetangebote einwählt. Durch die Verbreitung von ➡ DSL haben Dialer heutzutage jedoch viel von ihrem Schrecken verloren, denn eine Telefoneinwahl ist über DSL nicht möglich. Um sich zu schützen, können Sie bei Ihrer Telefongesellschaft eine Sperrung

aller 0900-9-Nummern für den eigenen Telefonanschluss beantragen.

Domain

Eine Domain ist eine Methode, um Computer im ➡Internet zu identifizieren. Die Rechner erkennen sich untereinander über rein numerische IP-Adressen. Da Menschen sich Begriffe aber leichter merken können als Zahlenkolonnen, wurde das Domain Name System (DNS) entwickelt, das es erlaubt, frei wählbare Begriffe statt Ziffern zu verwenden.

Download

Als Download oder Herunterladen bezeichnet man die Übertragung von Daten (Bildern, Musik, Videos) von einem Computer im ➡Internet zum eigenen Computer. Ein ➡Viren-Scanner sollte stets aktiviert sein.

DSL

DSL (Abkürzung für Digital Subscriber Line) ermöglicht eine schnelle Breitband-Internetverbindung mit Datenraten von bis zu 210 Mbit/s und ist in Deutschland die Standardverbindung zum Internet.

E-Mail

Als E-Mail (häufig auch nur Mail) bezeichnet man elektronische Post. E-Mails sind der meistgenutzte Dienst des ➡Internets. Um E-Mails schreiben, empfangen und lesen zu können, brauchen Sie eine ➡E-Mail-Adresse. Spezielle Mailprogramme wie beispielsweise ➡Outlook von ➡Microsoft oder Thunderbird von Mozilla erleichtern den Umgang mit der elektronischen Post.

E-Mail-Adresse

Eine E-Mail-Adresse ist eine eindeutige Adresse, über die Sie als Internet-Anwender ➡E-Mails senden, empfangen und lesen können. Die E-Mail-Adresse besteht aus zwei Teilen, dem so genannten lokalen Teil und dem durch das Symbol @ (at) davon abgetrennten globalen Teil. Der erste Teil ist frei wählbar, während der hintere Teil durch den Anbieter (➡Provider) vorgegeben ist. Eine E-Mail-Adresse sieht zum Beispiel wie folgt aus: vorname.nachname@provider.de.

Favoriten

siehe ➡Lesezeichen

Firefox

Firefox ist ein kostenloser ➡Browser des Mozilla-Projekts und hat in Deutschland einen Marktanteil von rund 25 Prozent. Er ist nach dem ➡Internet Explorer von ➡Microsoft der am meisten genutzte Internetbrowser. Vorteile des Firefox sind sehr gute Sicherheitsfunktionen und zahlreiche Anpassungsmöglichkeiten.

Firewall

Eine Firewall ist eine Software, die den Datenverkehr zwischen ➡Internet und PC überwacht und damit den Nutzer vor schädlichen Dateien wie ➡Viren und ➡Spyware aus dem Internet schützt. In ➡Windows ist seit Vista eine Firewall standardmäßig integriert und aktiv.

Flash Player

Der Flash Player ist ein Zusatzprogramm in allen gängigen ➡Browsern, der das direkte Abspielen von Videodateien im Flash-Format ermöglicht.

Flatrate

Als Flatrate bezeichnet man einen Pauschaltarif für eine Internet- oder auch Telefonverbindung.

Forum

siehe ➡Internetforum

Google

Google ist die derzeit im ➡ Internet am häufigsten genutzte ➡ Suchmaschine. Das gleichnamige Unternehmen bietet jedoch auch zahlreiche weitere Dienste an, wie zu Beispiel einen ➡ E-Mail- oder Landkartendienst. Allerdings wird Google von Datenschützern häufig für seine extensive Datenspeicherung kritisiert, die detaillierte Rückschlüsse auf Nutzerverhalten und -interessen ermöglicht.

Homepage

Als Homepage wird in Deutschland umgangssprachlich das gesamte Angebot einer Internetpräsenz bezeichnet, genau genommen ist eine Homepage jedoch nur die Startseite eines Internetauftritts.

Hyperlink

Ein Hyperlink (oder kurz Link) ist der Verweis einer Internetseite zu einer anderen. Hyperlinks machen es möglich, Internetseiten miteinander zu verknüpfen, wodurch der Nutzer mit nur einem Mausklick von einer Seite zur nächsten „surfen“ kann.

Internet

Das Internet ist ein weltweites Netzwerk bestehend aus vielen miteinander verbundenen Rechnern, durch das Daten ausgetauscht werden. Der Nutzer kann im Internet auf Daten zugreifen, die andere Nutzer hochgeladen haben. Das Bewegen im Internet bzw. das Verfolgen von ➡ Hyperlinks wird als „Surfen“ bezeichnet. Um im weltweiten Netz zu surfen, benötigt man einen Zugang sowie einen ➡ Browser, der die Inhalte optisch aufbereitet darstellt.

Internet Explorer

Der Internet Explorer ist ein ➡ Browser der Firma ➡ Microsoft, mit dem sich Inhalte im ➡ Internet darstellen lassen. Der Internet Explorer ist der weltweit am häufigsten genutzte Browser, da er bereits mit dem ➡ Betriebssystem ➡ Windows mitgeliefert wird.

Internetforum

Ein Internetforum ist ein Ort zum Austausch von Gedanken, Meinungen und Erfahrungen. Es behandelt in der Regel ein bestimmtes Thema und ist häufig nach Unterthemen in einzelne Unterforen unterteilt. Im Gegensatz zum ➡Chat werden die vorhergehenden Beiträge dauerhaft gespeichert und archiviert.

Internetradio

Internetradio bezeichnet Radiosender, die direkt über das ➡Internet empfangen werden. Dies wird durch die so genannte ➡Streaming-Technik ermöglicht. Tausende Sender können ausschließlich über das Internet empfangen werden.

Internet-Telefonie

➡siehe VoIP

IP-Adresse

siehe ➡Domain

ISDN

ISDN (Abkürzung für Integrated Services Digital Network) ist ein internationaler digitaler Telekommunikationsstandard. Für die Benutzung des ➡Internet ist ISDN etwas schneller und komfortabler als ein ➡Modem, heutzutage wird jedoch beinahe ausschließlich ➡DSL genutzt.

Junk-Mail

siehe ➡Spam

Kennwort

Ein Kennwort erhöht die Sicherheit beim Zugang zum ➡Betriebssystem und im ➡Internet. Um Schutz zu gewährleisten, sollte es länger als sieben Zeichen sein und Ziffern, Sonderzeichen, Klein- und Großbuchstaben enthalten. Auf keinen Fall darf es aus persönlichen Daten wie dem Namen oder dem Geburtsdatum bestehen. Es muss stets geheim gehalten werden, da ansonsten eine Missbrauchsgefahr besteht.

Kontextmenü

Das Kontextmenü öffnet sich durch einen Klick mit der rechten Maustaste und bietet kontextabhängig sinnvolle Aktionen zum angeklickten Objekt.

LAN

Ein LAN (Abkürzung für Local Area Network) oder Netzwerk ist ein lokal begrenzter Zusammenschluss von verschiedenen Computern.

Laptop

siehe ➡Notebook

Lesezeichen

Ein Lesezeichen (auch: Bookmark, Favorit) ist eine vom ➡Browser zwecks schnellerem Zugriff auf häufig besuchte Seiten gespeicherte Internetadresse. Lesezeichen helfen, eine einmal gefundene Seite auch ohne ➡Suchmaschine schnell wiederzufinden.

Link

siehe ➡Hyperlink

Login

Login bezeichnet die Anmeldung an ein ➡Benutzerkonto. In der Regel muss hierbei zur Authentifizierung ein Benutzername und ein ➡Kennwort eingegeben werden.

Mail-Postfach

Ein Mail-Postfach wird für den Empfang und den Versand von ➡E-Mails benötigt. Es wird meist vom Mailanbieter zur Verfügung gestellt. Die E-Mails können entweder über einen ➡Browser oder komfortabel über spezielle Mail-Programme wie ➡Outlook oder Mozilla Thunderbird abgerufen werden.

Media Player

Ein Media Player ist ein Programm zur Wiedergabe von Video- und Audiodateien. In ➡Windows ist der ➡Windows Media Player vorinstalliert. Andere weit verbreitete Media Player sind Real Player, QuickTime oder Winamp.

Megabyte

Ein Megabyte (MB) sind 1.024 Kilobyte. Siehe ➡Bit.

Microsoft

Die Firma Microsoft ist der weltweite Marktführer bei Computerprogrammen. Das bekannteste Produkt von Microsoft ist das Betriebssystem ➡Windows. Die annähernde Monopolstellung wird dadurch unterstützt, dass viele Anwender ausschließlich die mit Windows mitgelieferten Programme wie ➡Internet Explorer oder ➡Outlook verwenden.

Modem

Ein Modem ist ein Gerät, durch das über die Telefonleitung Zugriff auf das ➡Internet ermöglicht wird.

Mozilla Firefox

siehe ➡Firefox

Netzwerk

siehe ➡LAN

Netzwerkkarte

Um einen Computer mit einem Netzwerk zu verbinden, wird eine Netzwerkkarte benötigt. Heutzutage werden Netzwerkkarten zumeist verwendet, um einen PC an einen ➡Router anzuschließen.

Newsletter

Ein Newsletter ist ein Rundschreiben per ➜ E-Mail.

Notebook

Ein Notebook oder Laptop ist ein tragbarer Computer, bei dem alle Kernbestandteile eines PCs in einer kompakten Einheit verbaut sind. Aufgeklappt befindet sich in der oberen Hälfte der Bildschirm und in der unteren Hälfte die Tastatur und ein Maus-Ersatz.

Offline

Von „Offline" spricht man im Internet im Zusammenhang mit beendeten oder abgebrochenen Datenverbindungen.

Online

Von „Online" spricht man im Internet im Zusammenhang mit aktiven Datenverbindungen.

Online-Banking

Online-Banking bezeichnet die Tätigung von Bankgeschäften im Internet. Diese Form ist besonders komfortabel und hat bereits weitgehend analoge Bankgeschäfte über Telefon oder Überweisungsträger abgelöst. Abgesichert wird Online-Banking durch ➜ PIN und ➜ TAN.

Online-Shop

Online-Shops sind Internetseiten, über die der Besucher Waren oder Dienstleistungen einkaufen kann. Die Preise sind häufig deutlich günstiger als in herkömmlichen Geschäften, die günstigsten Preise findet eine ➜ Preissuchmaschine.

Outlook

Outlook ist das Standard-Programm von ➜ Microsoft zum Abruf des Mail-Postfachs. Durch seine flächendeckende Verfügbarkeit auf allen ➜ Windows-Systemen ist es das weltweit meistgenutzte

Mail-Programm. Outlook Express wird seit dem Erscheinen von Windows Vista nicht mehr weiterentwickelt, der Nachfolger heißt Windows Mail.

Passwort

siehe ➡Kennwort

Pay-per-View

Pay-per-View (deutsch: Bezahlung pro Betrachtung) bezeichnet eine Form der Abrechnung des Bezahlfernsehens im Einzelabruf-Verfahren.

PDF

Das von der Firma Adobe Systems entwickelte Portable Document Format (PDF) ist ein plattformübergreifendes Dateiformat für Dokumente. PDF hat sich in den letzten Jahren als Standardformat für Dokumente im Internet durchgesetzt. Zur Anzeige von PDF-Dokumenten benötigt man die kostenlose Software Adobe Reader.

Phishing

Phishing ist die Bezeichnung für das illegale Aneignen von persönlichen Daten wie ➡Kennwörtern, ➡TANs oder ➡PINs. Im Gegensatz zu einem ➡Virus wird hier auf die Gutgläubigkeit des Opfers gesetzt. Typischerweise werden ➡E-Mails verschickt, in denen das Opfer aufgefordert wird, auf einer bestimmten, täuschend echt aussehenden, aber gefälschten Webseite seine ➡Login-Daten oder Ähnliches einzugeben.

PIN

Eine PIN (Persönliche Identifikationsnummer) besteht aus einer Kombination von Zahlen und Buchstaben und dient ähnlich wie ein ➡Kennwort der Absicherung von Internetaktivitäten.

Podcast

Ein Podcast ist eine Audiodatei, die über das ➡Internet verbreitet wird. Im Gegensatz zum ➡Internetradio wird jedoch die Datei vorab komplett heruntergeladen und nicht per ➡Streaming bereitgestellt.

POP3

Das Post Office Protocol (POP) ist ein Übertragungsprotokoll, über welches ein E-Mail-Programm (Client) Mails von einem E-Mail-Server abholen kann. Eine ständige Verbindung zum Mailserver ist bei POP3 nicht notwendig.

Preissuchmaschine

Eine Preissuchmaschine ist ein Internetdienst, der nach der Eingabe eines Suchworts alle ihm zugänglichen ➡Online-Shops nach dem günstigsten Preis durchsucht.

Provider

Ein Provider ist der Anbieter eines Zugangs zum ➡Internet. Der Provider bietet normalerweise Einwahlmöglichkeiten über ➡Modem, ➡ISDN oder ➡DSL und verlangt dafür entweder einen monatlichen Pauschalbetrag oder Nutzungsgebühren.

Registerkarte

Registerkarten oder Reiter dienen dazu, Eingabefelder bzw. Informationen eines Programms auf mehreren, hintereinander liegenden Seiten anzuordnen. Dabei befindet sich immer eine Seite im Vordergrund. Durch Anklicken des entsprechenden Reiters kann man eine andere Registerkarte in den Vordergrund holen, wobei die Informationen und ggf. getätigten Einstellungen auf den vorher genutzten Registerkarten im Hintergrund bestehen bleiben.

Reiter

siehe ➡Registerkarte

Router
Der Router ist das Gerät, das Verbindung zum ➡ Internet herstellt. Heutzutage sind die meisten Router ➡ WLAN-Router, was es ermöglicht, gänzlich auf störende Kabel zwischen Router und Computer zu verzichten.

RSS
RSS (Abkürzung für Really Simple Syndication) ist ein abonnierbares Internet-Nachrichtenformat, bei dem wie bei Nachrichtentickern im Fernsehen die Überschriften mit einer kurzen Textpassage und einem ➡ Hyperlink zur Originalseite durchlaufen.

Skype
Skype ist der Name eines unentgeltlich erhältlichen Programms, das es ermöglicht, kostenlos über das ➡ Internet von Computer zu Computer zu telefonieren.

SMTP
Das Simple Mail Transfer Protocol (SMTP, „Einfaches E-Mail-Sendeverfahren") ist ein Übertragungsprotokoll zum Senden von ➡ E-Mails.

Spam
Als Spam oder Junkmail wird der massenhafte unerwünschte Versand von ➡ E-Mails bezeichnet. Inhalte sind meist Werbung oder ➡ Phishing-Versuche.

Spamfilter
Ein Spamfilter hat die Aufgabe, unerwünschte ➡ Spam-E-Mails auszufiltern.

Splitter
Ein Splitter (englisch: to split, „trennen") ist ein technisches Gerät zur Trennung von Datensignalen. Über Ihren Telefonanschluss

(➡ISDN oder analog) empfangen Sie ein gemischtes Signal (Telefonie und DSL), das der Splitter trennt.

Spyware

Spyware sind Programme, die sich ohne das Wissen des Nutzers auf dessen Computer installieren. Spyware-Programme versuchen, den Nutzer auszuspionieren und beispielsweise dessen Nutzerverhalten oder wichtige Zugangsdaten in Erfahrung zu bringen.

Streaming

Streaming bezeichnet eine Technik, Multimedia-Inhalte wie Audio- und Videodateien über das Internet wiederzugeben. Die Daten werden hierbei mittels eines Wiedergabeprogramms bereits nach wenigen Sekunden gestartet und während der Wiedergabe weiter nachgeladen. Somit ist es beispielsweise möglich, Radio- und Fernsehsendungen in nahezu Echtzeit zu empfangen.

Suchmaschine

Eine Suchmaschine ist eine Internetseite, die die Inhalte anderer Seiten über einen Schlüsselwort-Index erfasst und in einer Datenbank abspeichert. Der Nutzer kann nun diese Datenbank nach von ihm gewünschten Schlüsselwörtern durchstöbern und somit für seine Zwecke passende Internetseiten finden. Bekannte Suchmaschinen sind Google, Yahoo Search und Microsofts Live Search.

Surfen

siehe ➡Internet

TAN

Eine TAN (Abkürzung für Transaktionsnummer) dient der Absicherung von ➡Online-Banking. Sie erhalten von Ihrer Bank eine Liste mit TANs, bei jeder Kontobewegung muss nun zur Absicherung eine bestimmte TAN eingegeben werden. Auf keinen Fall dürfen TANs jemandem mitgeteilt werden, auch nicht Ihrer Bank. Sollten

Sie jemals dazu aufgefordert werden, so ist das mit Sicherheit ein ➡ Phishing-Versuch.

Trojanisches Pferd

Ein Trojanisches Pferd (oder kurz Trojaner) ist ein ➡ Virus (Schad-Programm), der es dessen Programmierer ermöglicht, auf den infizierten Computer zuzugreifen.

Viren-Scanner

Viren-Scanner sind Programme, die Dateien nach ➡ Viren durchsuchen und diese unschädlich machen und entfernen. Ein Viren-Scanner wird normalerweise beim Einloggen automatisch aktiviert und überprüft, ob die Festplatte und der Hauptspeicher von Viren befallen sind. Andere Viren-Scanner sind permanent im Hintergrund aktiv und überwachen sämtliche Datenaktivitäten. Wichtig ist die regelmäßige Aktualisierung, damit auch neu entwickelte Viren bekämpft werden können.

Virus

Ein Virus ist ein Schad-Programm, das die verschiedensten unerwünschten Handlungen hervorrufen kann. Viren haben teilweise die Fähigkeit, Verbindung zum ➡ Internet aufzunehmen, um sich beispielsweise per ➡ E-Mail weiter zu verbreiten. Dies kann durch eine ➡ Firewall unterbunden werden. Gerade im Internetzeitalter sind aktuelle ➡ Viren-Scanner unerlässlich.

VoIP

VoIP (Abkürzung für Voice over IP) bezeichnet das Telefonieren über Computernetzwerke. Es werden dazu lediglich ein ➡ DSL-Anschluss und ein Headset (Kopfhörer und Mikrofon) benötigt. Kunden desselben VoIP-Anbieters telefonieren kostenlos, wobei die Entfernung keine Rolle spielt.

Webcam
Eine Webcam ist, wie der Name schon sagt, eine Kamera, die für Anwendungen im ➡ Internet hergestellt wurde. Sie kann beispielsweise in Kombination mit einem Headset (Kopfhörer und Mikrofon) als Bildtelefon fungieren.

Wikipedia
Wikipedia ist die weltweit größte frei verfügbare Online-Enzyklopädie. Anders als bei kommerziellen Projekten arbeiten in der Wikipedia keine Redakteure, jeder Nutzer kann Artikel in allen Sprachen erstellen oder bearbeiten. Die Qualität ist durch zahlreiche Kontrollen relativ hoch, so dass Wikipedia mittlerweile zur ersten Anlaufstelle zum Wissenserwerb im ➡ Internet geworden ist.

Windows
Windows ist der Name des weltweit führenden ➡ Betriebssystems für Personal Computer. Es wird von der US-amerikanischen Software-Firma ➡ Microsoft hergestellt und vertrieben.

Windows Mail
siehe ➡ Outlook

Windows Media Player
Windows Media Player (kurz: WMP) ist ein ➡ Media Player von ➡ Microsoft für digitale Medien, also Audio- und Videodateien.

WLAN
WLAN (Abkürzung für Wireless Local Area Network) bezeichnet ein drahtloses lokales Netzwerk (Wireless ➡ LAN). Es ist vor allem beim Einsatz von ➡ Notebooks sehr beliebt, da es eine kabellose Benutzung ermöglicht. In den meisten Städten gibt es heutzutage öffentliche WLANs.

World Wide Web

Das World Wide Web (kurz Web, WWW) ist eine Art Unternetz des ➡Internet, das von WWW-Servern gebildet wird, die Daten im HTML-Format zum Abruf bereitstellen. Viele Anwender, die vom Internet sprechen, meinen eigentlich den Internetdienst World Wide Web.

YouTube

YouTube (deutsch: Du sendest) ist das größte Videoportal im Internet. Benutzer können auf YouTube kostenlos Video-Clips ansehen und hochladen. Ähnliche Videoportale sind MyVideo oder Clipfish.

Index

Symbole

@ 153, 159

A

Adressbuch 169
AntiVir 136
Anti-Viren-Programm 136
Anwendungsprogramme 13

B

Benutzerkontensteuerung 88
Benutzerkonto 24, 34, 71, 173
Benutzername 23
Betriebssystem 12, 173
Bildbearbeitung 91
Bluetooth 173
Browser 142, 174

C

Chat 174
Cookie 174

D

Dateiendung 50
Dateiname 49
Dateisystem 53
Dateitypen 51
Datenschutz 174
Deinstallation 88
Desktop 24
Desktophintergrund 74
Dialer 174
Diashow 96
Domain 175
Doppelklick 16
DSL 175

E

E-Mail 153, 175
- Adresse 153, 175
- Anhang 166
- Beantworten 163
- Betreff 161
- Cc 161
- Empfangen 162
- Empfänger 161
- Lesen 163
- Löschen 165
- POP3 159
- Posteingang 165
- Priorität 172
- Rechtschreibprüfung 171
- Schreiben 161
- Senden 162
- SMTP 159
- Suche 171

Textfeld 161
Weiterleiten 164
Energiespar-Modus 37

F

Favoriten 147, 176
Fenster 28
Fensterfarben 71
Firefox 176
Firewall 176
Flash Player 176
Flatrate 176
Flip 3D 29, 40
Formatierungsmöglichkeiten 115
Funktionstasten 19

G

gmx.de 154
Google 160, 177, 185

H

Hardware 11
Herunterfahren 24, 37
Hilfe und Support 47
Hintergrundfarbe 76
Homepage 177

I

Infofenster 32
Internet 177
Internetadressen 143
Internet Explorer 178
Internetforum 178
Internetradio 117, 178
ISDN 178

K

Kapazität 55
Kennwort 179
Kontextmenü 179

L

LAN 179
Lautstärke einstellen 33
Lesezeichen 179

M

Maus 15
Mauszeiger 17
Media Player 180
Medienbibliothek 120
Microsoft 180
Mindestanforderungen 15
Mini-Anwendungen 127
Modem 180

N

Netzwerkkarte 181
Newsletter 181
Notebook 181
Nutzerverzeichnis 35

O

Online-Banking 181
Online-Shop 182
Outlook 157, 182

P

Passwort 155, 160
Pay-per-View 182
PC 10
PDF 182
Peripherie-Geräte 11
Phishing 182
PIN 183
Podcast 123, 183
Provider 153, 183

R

Registerkarte 183
Router 184
RSS 184

S

Skype 184
SMTP 184
Software 12
Spam 185
Splitter 185
Spyware 185
Startleiste 28
Startmenü 143
Startseite 150
Steuerelemente 43
Streaming 185
Suchmaschine 185

T

TAN 186
Tastatur 19
Tastenkombinationen 20
Termine 105
Textgröße 151
Textverarbeitung 111
Trojanisches Pferd 186

U

Umbenennen 67

V

Viren-Scanner 186

Virenschutz 136
Virus 168, 186
VoIP 187

W

Webcam 187
web.de 154
Wiedergabelisten 124
Wikipedia 187
Windows 187
Defender 134
Explorer 45
Firewall 134
Kalender 84
Mail 157
Sicherheitscenter 133
Taste 20
Update 135
Windows Explorer 45
Windows-Kalender 84
WLAN 188
World Wide Web 188

Y

YouTube 188

Z

Zeitzone 84
Zentraleinheit 11